GW00643150

Le petit mercure

Suivi éditorial par Jean-Michel Décimo

Le goût de Londres

Textes réunis et présentés
par Bernard Delvaille

Mercure de France

© Mercure de France, 2004, pour la préface,
les présentations et les commentaires

ISBN 978-2-7152 2459-9

SOMMAIRE

1. Comme c'est l'usage dans cette collection, chaque texte est accompagné d'un titre. Seuls ceux indiqués entre guillemets sont originaux. Les autres ont été créés à l'occasion de cet ouvrage par Bernard Delvaille *(N.d.É.)*.

Introduction

> « Quand un homme est las de Londres, il est las de la vie. »
>
> Samuel JOHNSON

> « Un soir de demi-brume à Londres… »
>
> Guillaume APOLLINAIRE

> « Voici que les tulipes, aux jardins de Kensington,
> Vont s'ouvrir au bord des allées, dans les flots du brouillard tiède… »
>
> Valery LARBAUD

« Il existe un plan des rues de Londres ; il n'en est pas de nos passions », écrivit Virginia Woolf. Je ne suis pas sûr qu'elle avait raison. De nos passions, il existe un itinéraire, aussi désuet et incomplet soit-il : la « Carte du Tendre ». Londres défie tous les repères. « Une ville comme Londres, notait Friedrich Engels au milieu du XIXᵉ siècle, où l'on peut marcher des heures sans même parvenir au commencement de la fin, sans découvrir le moindre indice qui signale la campagne, est vraiment quelque chose de très particulier. »

Londres fut longtemps la capitale du monde. Il n'est pas certain qu'elle ne le soit plus. Malgré les bouleversements architecturaux qu'elle a subis, depuis quelques

9

décennies, dans quelques quartiers, son esprit et son âme n'ont pas changé. Non plus que ses charmes. Ni la Grande Peste, le Grand Incendie ou le Blitz ne l'ont vaincue. Londres survivra toujours : elle renaît de ses cendres. Elle est synonyme d'accueil. « Londres dépasse toutes limites, toutes conventions. Elle est riche de tous les désirs et de toutes les paroles, de tous les signes et de tous les actes, de toutes les opinions qu'on puisse jamais exprimer. Elle est sans limites. Il existe un infini de Londres. » Ainsi s'exprime Peter Ackroyd, en conclusion de sa magistrale biographie de cette métropole insaisissable et fascinante par cela même (*Londres, La biographie*, traduit par Bernard Turle, Stock, 2003.

À quelques exceptions près – Dickens, Galsworthy – je n'ai pas cité de pages de romans. J'ai privilégié des textes « historiques », des notes de voyage, des souvenirs, des impressions qui permettent de mieux mesurer les métamorphoses de Londres. Un seul poème : de William Blake. Toutefois, mon grand regret est de n'avoir pas retenu un fragment – mais lequel choisir ? – du poème le plus long (1 100 vers), le plus beau et le plus désespéré de tous ceux que Londres a inspirés : *The City of Dreadful Night,* de James Thomson (1834-1882).

Pour le choix des textes, j'ai retenu l'ordre chronologique, de Samuel Pepys à Pierre-Jean Rémy. Il y eût eu, sinon, une trop grande disparate entre les nombreux écrivains, anglais ou français, qui ont évoqué les aspects sombres de la ville (les quartiers misérables de l'East End, les bords de la Tamise perdus dans les fumées et les brouillards) et ceux qui, plus tard, ont montré le charme des parcs, des squares et des rues du West End.

Longtemps, la littérature anglaise eut pour décor la campagne, la « bonne société » ne venant à Londres que pour régler ses affaires. Au XVIIIᵉ siècle, Samuel Johnson notait : « Le plaisir d'habiter Londres, la supériorité intellectuelle dont nous jouissons ici peuvent être des arguments en faveur de ceux qui veulent vivre à la ville. Et pourtant, mon ami, j'ai connu un bon nombre d'hommes dignes et intelligents qui préféraient leur état de gentilhomme campagnard et qui n'auraient jamais abandonné leur domaine pour vivre à Londres. » Il suffit de lire les romanciers du XVIIIᵉ siècle et même, au XIXᵉ, Jane Austen, George Eliot, George Meredith ou Thomas Hardy. Vers la fin du règne de Victoria, l'époque la plus sombre de l'Angleterre – révolution industrielle, conditions de travail des femmes et des enfants –, Londres apparut comme une ville plus ouverte, plus « heureuse ». Les théâtres, les concerts, les promenades aux parcs furent à la mode. Les livres de Wilde, de Galsworthy, d'Arnold Bennett ou ceux des écrivains de Bloomsbury en portent témoignage. Aujourd'hui, Londres est la ville la plus cosmopolite, c'est-à-dire la plus jeune qu'on puisse souhaiter, et aimer.

Bernard DELVAILLE

SAMUEL PEPYS

Le Grand Incendie

Samuel Pepys (1633-1703) a tenu son journal du 1ᵉʳ janvier 1660 au 31 mai 1669. Environ 3 000 pages dans une sténographie qu'il avait inventée. Ses carnets manuscrits, ainsi que sa bibliothèque, se trouvent aujourd'hui à Magdalene College, Cambridge. Commissaire des pêcheries royales, secrétaire de la commission de l'Amirauté et grand maître de Trinity College, il a vécu la Grande Peste de 1665 et le Grand Incendie de 1666, dont il dresse un tableau haut en couleur. Découvert par John Evelyn en 1814 et publié en 1818, son Journal *est un témoignage essentiel sur le Londres du milieu du XVIIᵉ siècle.*

2 septembre 1666. Jour du Seigneur. Quelques-unes de nos servantes veillèrent tard la nuit dernière pour les préparatifs de notre festin d'aujourd'hui. Vers trois heures du matin, Jane vint nous appeler pour nous dire qu'on voyait un grand incendie dans la Cité. Je me levai pour aller à la fenêtre. Je jugeai que c'était au plus loin à Mark Lane, trop loin tout de même pour être dangereux, à mon avis, aussi je me recouchai et me rendormis. Vers sept heures, en me levant pour m'habiller, je vis que l'incendie s'était calmé et semblait plus éloigné. Aussi je commençai à mettre de l'ordre dans mon cabinet qu'on avait nettoyé à fond hier. Bientôt Jane vint me dire que plus de trois cents maisons avaient brûlé cette

nuit et que le feu continuait près du Pont de Londres. Je m'apprêtai et me rendis à la Tour. De là-haut je vis les maisons de ce côté du pont toutes en flammes et un immense incendie s'étendant au-delà. Je redescendis tout bouleversé trouver le lieutenant de la Tour qui me raconta que cela avait commencé ce matin chez le boulanger du Roi dans Pudding Lane et que l'église Saint-Magnus était déjà détruite. Descendu au quai, je pris une barque et passai sous le pont. Là j'assistai à des scènes lamentables. Les gens tentaient de sauver leurs biens, les lançaient sur les quais ou les entassaient dans des barques. De pauvres pigeons, ne se décidant pas à quitter leurs maisons, volaient autour des fenêtres et des balcons jusqu'au moment où ils tombaient, les ailes roussies. Au bout d'une heure je vis que le feu faisait rage dans toutes les directions et que personne, autant que je pouvais m'en rendre compte, n'essayait de l'éteindre. Les gens ne pensaient qu'à mettre leurs affaires à l'abri et laissaient ensuite brûler les maisons. Le vent, très violent, poussait l'incendie vers la Cité. Après une si longue sécheresse, tout était combustible, même les pierres des églises. Je me suis alors rendu à Whitehall au cabinet du Roi. On s'empressa autour de moi et le récit que je fis consterna chacun. La nouvelle en fut portée au Roi. On me fit appeler. Je racontai au Roi et au duc d'York ce que j'avais vu, affirmant que si Sa Majesté n'ordonnait pas d'abattre les maisons, rien ne pourrait arrêter l'incendie. Ils parurent fort émus. Le Roi me chargea d'aller trouver de sa part le Lord-maire pour lui transmettre l'ordre d'abattre les maisons au-devant de l'incendie dans toutes les directions. Le duc d'York ajouta qu'on fournirait au Lord-maire tous les soldats dont il aurait besoin. Je rencontrai le capitaine Cocke qui me prêta son carrosse pour aller à Saint-Paul. Là je suivis Watling Street encombrée de gens qui tous arrivaient chargés d'objets ; il y avait même des malades qu'on emportait dans leur lit. À la fin je rencontrai le Lord-maire, l'air exténué, un mouchoir autour du cou.

[...]

Aussitôt après le dîner je suis sorti avec Moone et nous avons traversé la Cité à pied. Les rues étaient toujours encombrées de gens, de chevaux, de voitures chargées. On déménageait maintenant les maisons de Canning Street où ce matin on était venu mettre des affaires à l'abri. Au quai de Saint-Paul je pris une barque pour aller voir le feu qui avait encore gagné du terrain et ne semblait pas près de s'éteindre.

[...]

Sur toute la surface de la Tamise, quand on avait le visage tourné dans la direction du vent, on se sentait presque brûlé par une pluie d'étincelles. C'est strictement vrai. De sorte que plusieurs maisons furent ainsi incendiées par les étincelles et les flammèches. Quand il nous fut impossible de tenir sur l'eau plus longtemps, nous sommes allés dans une petite brasserie de Bankside où nous sommes restés jusqu'à la tombée de la nuit. À mesure que l'obscurité se faisait, il surgissait au-dessus des clochers, entre les maisons et les églises, aussi loin que le regard s'étendait sur la colline de la Cité, une horrible flamme maléfique, sanglante, bien différente de la claire flamme d'un feu ordinaire. Quand nous sommes partis, l'incendie ne formait plus qu'une vaste arche de feu de part et d'autre du pont et, sur la colline, une autre arche d'au moins un mille de longueur. Je fondis en larmes à cette vue. Les églises, les maisons, tout flambait à la fois. L'affreux bruit que faisaient les flammes et le craquement des maisons qui s'écroulaient !

Journal,
traduit de l'anglais par Renée Villoteau
© Éditions Mercure de France, 1985 et 1987

Le *Journal* de Samuel Pepys débute ainsi : « Ce matin, je me suis levé (nous couchons depuis quelque temps dans la soupente) et ai revêtu mon habit à longues basques, mon vêtement favori ces derniers temps. » Avec Pepys, c'est la vie quotidienne d'un « haut fonctionnaire » que nous lisons : ses supérieurs, ses amis, ses maîtresses, ses domestiques, ses tailleurs, ses tavernes préférées, son ameublement, ses après-dîners musicaux. Il fut avant tout le citoyen d'une ville qui comptait alors 450 000 habitants. Il connut la Grande Peste, qui se déclara fin 1664 et se termina dans les premiers mois de 1666, après avoir fait environ 100 000 victimes. En 1722, Daniel De Foe publia son *Journal de l'année de la peste* qui, pour n'être pas le récit d'un témoin, est tout aussi intéressant, grâce aux souvenirs des survivants, aux textes officiels et aux statistiques paroissiales. – L'incendie prit naissance dans la boulangerie de Thomas Farriner, dans Pudding Lane, près du pont de Londres et dura du 2 au 6 septembre 1666. On songea tout d'abord à un complot papiste. Pepys prit soin de mettre à l'abri ses vins, ses fromages et son or. Les flammes détruisirent 89 églises et 13 200 maisons, mais on ne déplora que six morts. Christopher Wren fut chargé de la reconstruction, entre autres, de la cathédrale Saint-Paul. Le *Monument* commémoratif, colonne dorique de 62 mètres de haut, distance de sa base à l'ancienne boulangerie de Pudding Lane, fut inauguré en 1677.

« Notes sur l'Angleterre »

Montesquieu (1689-1755) fit, à partir de 1728, un grand voyage à travers l'Europe. C'est de La Haye, où il était ambassadeur auprès des Provinces Unies, que lord Chesterfield, l'auteur des Lettres à son fils Philip Stanhope, *véritable code des bonnes manières et du moyen de parvenir, l'emmena à Londres. Il y restera jusqu'en 1732, s'y initiera à la franc-maçonnerie et en rapportera ses notes de voyage en Angleterre : « A Londres, liberté et égalité. La liberté de Londres est la liberté des honnêtes gens… »*

Le peuple de Londres mange beaucoup de viande ; cela le rend très robuste ; mais à l'âge de quarante à quarante-cinq ans, il crève.

Il n'y a rien de si affreux que les rues de Londres ; elles sont très malpropres ; le pavé y est si mal entretenu qu'il est presque impossible d'y aller en carrosse, et qu'il faut faire son testament lorsqu'on va en fiacre, qui sont des voitures hautes comme un théâtre, où le cocher est plus haut encore, son siège étant de niveau à l'impériale. Ces fiacres s'enfoncent dans des trous, et il se fait un cahotement qui fait perdre la tête.

[…]

Il me semble que Paris est une belle ville où il y a des choses plus laides, Londres une vilaine ville où il y a de très belles choses.

À Londres, liberté et égalité. La liberté de Londres est la liberté des honnêtes gens, en quoi elle diffère de celle de Venise, qui est la liberté de vivre obscurément et avec des p... et de les épouser : l'égalité de Londres est aussi l'égalité des honnêtes gens, en quoi elle diffère de la liberté de Hollande, qui est la liberté de la canaille.

[...]

C'est une chose lamentable que les plaintes des étrangers, surtout des François, qui sont à Londres. Ils disent qu'ils ne peuvent y faire un ami ; que, plus ils y restent, moins ils en ont ; que leurs politesses sont reçues comme des injures. Kinski, les Broglie, La Vilette, qui appelait à Paris milord Essex son fils, qui donnait de petits remèdes à tout le monde, et demandait à toutes les femmes des nouvelles de leur santé : ces gens-là veulent que les Anglais soient faits comme eux. Comment les Anglais aimeraient-ils les étrangers ? ils ne s'aiment pas eux-mêmes. Comment nous donneraient-ils à dîner ? ils ne se donnent pas à dîner entre eux. « Mais on vient dans un pays pour y être aimé et honoré. » Cela n'est pas une chose nécessaire ; il faut donc faire comme eux, vivre pour soi, comme eux, ne se soucier de personne, n'aimer personne, et ne compter sur personne. [...]

Notes sur l'Angleterre,
in Œuvres complètes I

Lorsque Montesquieu se rend en Angleterre en 1729, George II est roi et Robert Walpole premier ministre. « L'Angleterre est à présent le plus libre pays qui soit au monde, je n'en excepte aucune république », écrit-il. L'Angleterre fut toujours une terre d'accueil – parfois de captivité, comme pour Charles d'Orléans – pour tous ceux que les turbulences de l'Histoire et de la politique chassaient de leur patrie, et ceci jusqu'à Charles de Gaulle. Ce fut le cas de Saint-Évremond, ami de Fouquet, chez qui on trouva une lettre compromettante à propos de la paix des Pyrénées et qui dut quitter la France en novembre 1661. Bien reçu par Charles II, il fréquenta, à Londres, l'aristocratie, les philosophes et les savants. À part un séjour en Hollande durant la Grande Peste, il y vécut jusqu'à sa mort, à quatre-vingt-huit ans, en 1703, et fut enterré dans l'abbaye de Westminster. Plus tard, jaloux peut-être, Chateaubriand écrira : « Dans ce labyrinthe de tombeaux, je pensais au mien prêt à s'ouvrir. Le buste d'un homme inconnu comme moi ne prendrait jamais place au milieu de ces illustres effigies ! » – Après sa querelle avec le chevalier de Rohan, qui lui valut d'être embastillé, Voltaire dut s'exiler en Angleterre en mai 1726, pour trois ans. Il y fut accueilli, lui aussi, par l'aristocratie comme par les lettrés. Il y découvrit Pope, Shakespeare et la tolérance et y écrivit ses *Lettres anglaises* ou *Lettres philosophiques*. Publiées à Londres en 1733, elles le furent en France, l'année suivante, et aussitôt brûlées sur ordre du Parlement.

HENRY FIELDING

Promiscuités

*Henry Fielding (1707-1754) demeure, avant tout, le roman-
cier de* Tom Jones, histoire d'un enfant trouvé *(1749). Juge
de paix des comtés de Westminster et de Middlesex, il publia
un* Examen des causes de l'augmentation récente du nombre
des brigands, *où il propose des remèdes qui furent souvent
appliqués avec succès.*

Dans la paroisse de Saint-Giles, il existe une quantité
de maisons qui servent à accueillir des individus oisifs
et des vagabonds qui y trouvent le gîte pour deux pence
la nuit ; dans cette paroisse et dans celle de Saint-
George de Bloomsbury, une femme tient à elle seule
sept de ces maisons, toutes équipées, comme il se doit,
de la cave au grenier, de grabats pour ces locataires à
deux pence ; dans ces misérables lits, et il y en a plusieurs dans la même chambre, hommes et femmes, qui
souvent ne se connaissent pas, couchent les uns avec les
autres ; le prix du lit double, qui est de trois pence seulement, les encourage à coucher ensemble ; et si ces
endroits favorisent ainsi la prostitution, ils incitent tout
autant à l'ivrognerie, car le gin s'y vend partout à un
penny le canon ; de sorte qu'on s'y saoule pour une
somme infime. En exécutant des mandats de perquisi-
tion, M. Welsh trouve rarement moins de vingt mai-

sons de ce genre ouvertes à n'importe qui aux heures les plus avancées de la nuit ; dans une de ces maisons, et ce n'était pas la plus grande, il a dénombré cinquante-huit personnes des deux sexes, dont la puanteur était tellement épouvantable qu'elle le força à quitter rapidement la place. Pis encore, je puis ajouter ce que j'ai vu de mes propres yeux dans la paroisse de Shoreditch, où l'on fit sortir de deux petites maisons près de soixante-dix hommes et femmes, parmi lesquels se trouvait une des plus jolies filles que j'aie jamais vues ; elle avait été emmenée par un Irlandais pour consommer son mariage, le soir de ses noces, dans une chambre où plusieurs autres personnes étaient au lit en même temps.

Si l'on considère, d'une part, l'abolition de toute moralité, décence et pudeur, les jurons, la prostitution et l'ivrognerie dans ces maisons, et, d'autre part, la pauvreté et la misère extrême de la plupart de leurs habitants, on se demande s'il faut plus les honnir ou les prendre en pitié ; car ces misérables sont si pauvres que, lorsqu'ils furent fouillés, la somme trouvée sur eux tous (à l'exception de la mariée dont j'appris plus tard qu'elle avait volé sa maîtresse) n'atteignait même pas un shilling ; et je tiens de source certaine qu'un seul pain fut la seule subsistance de toute une famille pendant une semaine. Enfin, si ces malheureuses créatures tombent malades (et c'est presque un miracle que puanteur, vermine et dénuement leur permettent jamais de se bien porter), leur hôte ou hôtesse les met impitoyablement à la rue où, si quelque officier de la paroisse particulièrement charitable ne les soulage pas, elles devront périr misérablement, la faim et le froid s'ajoutant à la maladie.

Examen des causes de l'augmentation
récente du nombre des brigands,
traduit de l'anglais par Jean-Louis Chevalier,
© Éditions des Cendres, 1990

La misère, le vol, la prostitution, l'enfance malheureuse et le gin semblent avoir été, au XVIIIᵉ et au XIXᵉ siècles, les véritables fléaux de Londres. Dans son *Rapport sur les jeunes délinquants* (cité par Flora Tristan), Beaver écrit : « Dès l'âge de six à huit ans, les enfants pauvres sont envoyés par leurs parents à travers la ville, avec injonction de ne rentrer à la maison qu'avec une certaine somme d'argent ou une certaine quantité de provisions. Ils mendient, vendent des allumettes, du ruban, du sable et beaucoup ajoutent de bonne heure le larcin à leur vagabonde industrie. » En 1722, Daniel De Foe publie l'un de ses chefs-d'œuvre : *Heurs et malheurs de la célèbre Moll Flanders* « qui naquit à Newgate et, pendant une vie continuellement variée qui dura soixante ans, en plus de son enfance, fut douze ans une catin, cinq fois une épouse (dont une fois celle de son propre frère), douze ans une voleuse, huit ans déportée pour ses crimes en Virginie, et enfin devint riche, vécut honnête et mourut pénitente ». – En 1838, Dickens montre comment le jeune Oliver Twist est initié, par le vieux Fagin, aux techniques du vol et du cambriolage. Quant au *Gin Act* de 1736, il ne parvint pas à faire diminuer la consommation du « poison » : la distillation est une activité très rémunératrice. On cite le cas d'une femme étranglant sa fille de deux ans, afin de vendre sa layette pour se saouler au gin !

WILLIAM BLAKE

« Londres »

William Blake (1757-1827) naquit et mourut à Londres. Sa vie fut longtemps difficile et tout entière consacrée à son œuvre de poète « hermétique » et de graveur sur cuivre. Au procédé de la gravure il ajouta d'« étranges et merveilleuses aquarelles – des visions de son esprit – qu'il assure avoir vraiment vues », écrit Charles Lamb. Il a fréquenté les quartiers mal famés de Londres, près de la Tamise, les filles à vendre, les soldats, les ramoneurs. Il vécut à Lambeth, puis dans South Molton Street, près de Regent's Street et sur le Strand, à l'endroit même où s'élève aujourd'hui le Savoy Hotel.

J'erre par chaque rue chartrée[1]
Aux bords chartrés de la Tamise,
Et je vois sur chaque visage
Des marques de faiblesse, des marques de malheur.

Dans chaque cri de chaque Homme,
Dans chaque cri d'effroi de chaque petit Enfant,
Dans chaque voix, chaque interdit,
J'entends les menottes forgées par l'esprit.

J'entends le cri du Ramoneur
Épouvanter chaque église noircie,

1. Une rue dotée d'une charte garantissant ses droits.

Et le soupir du malheureux Soldat
Ruisselle en sang sur les murs du Palais.

Mais surtout j'entends par les rues nocturnes
La jeune Prostituée maudissante
Flétrir les pleurs du Nouveau-Né
Et infecter le corbillard du Mariage.

Chants d'expérience et d'innocence,
traduit de l'anglais par Pierre Leyris
© Aubier-Flammarion, 1974

Pour Shelley, Londres ressemblait à l'enfer. « Ô le feu du ciel sur cette ville de la Bible ! », écrira Verlaine. Aragon s'en fera l'écho : « Comment donc disais-tu Shelley de cette ville/*Hell is a city much like London* ah c'était à l'envers. » – La littérature et la peinture, au XVIIIe siècle, appartenaient à une société minoritaire dont les membres se fréquentaient soit à Londres, soit à la campagne. La plupart des grandes demeures anglaises datent de cette époque : Kenwood, Osterley. L'Église anglicane était devenue une Église « de classe », très proche de l'aristocratie. Mais les prémices de la révolution agricole et industrielle se faisaient déjà sentir. Des 1770, la guerre d'indépendance américaine y ajouta. Les grands romanciers du XVIIIe siècle, Fielding, Richardson ou Sterne, avaient mis à la mode une certaine sentimentalité, un « trémolo continu », a-t-on dit. Les romans « gothiques » (Horace Walpole, Ann Radcliffe) et « historiques » (Walter Scott) – sans parler de l'impact de la Révolution française – allaient bientôt créer une sensibilité nouvelle : le romantisme, avec Byron, Wordsworth, Coleridge (les *Lyrical Ballads* paraissent en 1798), Shelley et Keats. Sans oublier la personnalité visionnaire de William Blake, auteur des

Chants d'expérience et d'innocence et du *Mariage du Ciel et de l'Enfer*. Il avait été témoin des émeutes de George Gordon, en 1780, qui mirent aux prises protestants et papistes – les prisons furent mises à sac et le Parlement envahi –, émeutes que Dickens évoquera en termes magnifiques dans *Barnabé Rudge*.

CHATEAUBRIAND

Souvenirs d'un émigré

Chateaubriand (1768-1848) connut à Londres la misère la plus noire, puis les fastes diplomatiques. Émigré en mai 1793, il vécut à Holborn, à Hamstead, puis Rathborne Place, Portman Square et Fitzroy Square de leçons de français et de charités diverses. Il y restera sept ans. De janvier à septembre 1822, il y sera ambassadeur de France, et habitera Portland Place. Il y reviendra en novembre 1843, invité par le comte de Chambord, tout d'abord au York's Hotel, Piccadilly, puis Belgrave Square.

Arrivé à Londres comme ambassadeur français, un de mes plus grands plaisirs était de laisser ma voiture au coin d'un square, et d'aller à pied parcourir les ruelles que j'avais jadis fréquentées, les faubourgs populaires et à bon marché, où se réfugie le malheur sous la protection d'une même souffrance, les abris ignorés que je hantais avec mes associés de détresse, ne sachant si j'aurais du pain le lendemain, moi dont trois et quatre services couvraient la table en 1822. A toutes ces portes étroites et indigentes qui m'étaient autrefois ouvertes, je ne rencontrais que des visages étrangers. Je ne voyais plus errer mes compatriotes, reconnaissables à leurs gestes, à leur manière de marcher, à la forme et à la vétusté de leurs habits, je n'apercevais plus ces prêtres martyrs, portant le petit collet, le grand chapeau à trois

29

cornes, la longue redingote noire usée, et que les Anglais
saluaient en passant. De larges rues bordées de palais
avaient été percées, des ponts bâtis, des promenades
plantées : *Regent's Park* occupait, auprès de *Portland
Place,* les anciennes prairies couvertes de troupeaux de
vaches. Un cimetière, perspective de la lucarne d'un de
mes greniers, avait disparu dans l'enceinte d'une
fabrique. Quand je me rendais chez Lord Liverpool,
j'avais de la peine à retrouver l'espace vide de l'échafaud
de Charles Ier; des bâtisses nouvelles, resserrant la statue de Charles II, s'étaient avancées avec l'oubli sur des
événements mémorables.

[...]

Miséricorde! où me fourrer! qui me délivrera? qui
m'arrachera à ces persécutions? Revenez, beaux jours
de ma jeunesse et de ma solitude! Ressuscitez, compa-
gnons de mon exil! Allons, mes vieux camarades du lit
de camp et de la couche de paille, allons dans la campagne, dans le petit jardin d'une taverne dédaignée,
boire sur un banc de bois une tasse de mauvais thé, en
parlant de nos folles espérances, et de notre ingrate
patrie, en devisant de nos chagrins, en cherchant le
moyen de nous assister les uns les autres, de secourir un
de nos parents encore plus nécessiteux que nous.

Voilà ce que j'éprouvais, ce que je me disais dans ces
premiers jours de mon ambassade à Londres. Je
n'échappais à la tristesse qui m'assiégeait sous mon toit
qu'en me saturant d'une tristesse moins pesante dans le
parc de Kensington. Lui, ce parc, n'a point changé,
comme j'ai pu m'en assurer en 1843; les arbres seulement ont grandi; toujours solitaires, les oiseaux y font
leur nid en paix. Ce n'est plus même la mode de se ras-

sembler dans ce lieu, comme au temps que la plus belle des Françaises, madame Récamier, y passait suivie de la foule. Du bord des pelouses désertes de Kensington, j'aimais à voir courir, à travers Hyde Park, les troupes de chevaux, les voitures des fashionables, parmi lesquelles figure en 1822 mon tilbury vide, tandis que, redevenu gentillâtre émigré, je remontais l'allée où le confesseur banni disait autrefois son bréviaire.

Mémoires d'outre-tombe, VI, I

Pour Chateaubriand, il y avait l'Angleterre industrielle et commerciale, en aval de Londres, et l'Angleterre agricole et pastorale en amont, avec les berges de la Tamise, rappelant les tableaux de John Constable et les églogues d'Edmund Spenser, le plus grand poète de la fin du XVIe siècle. Les cygnes blancs glissent sur la rivière bordée de prairies où paissent les moutons, entre des maisons de campagne, des ports de plaisance et des clubs de tennis. Dans Londres, les parcs sont nombreux : Regent's Park (220 hectares), St James Park, Green Park et surtout Hyde Park et Kensington Gardens. On s'y promène en toute liberté, entre de grands massifs de rhododendrons, d'azalées et de lupins à l'odeur poivrée. On y marche délicieusement sur l'herbe. Les canards, les chiens et les cerfs-volants des enfants y sont rois. Les innombrables squares de Londres sont des jardins privés, dont les propriétaires de maisons qui les entourent, et qui n'y vont jamais, conservent jalousement la clef. C'est à Gertrud Jekyll (1843-1932) que l'on doit les *mixed borders*, où les fleurs les plus variées, héliotropes, lis, giroflées voisinent dans ce qui peut paraître un délicieux désordre, que l'art du jardinier a pourtant su à merveille organiser.

CHARLES LAMB

« Inner Temple »

Charles Lamb (1775-1834), sans doute le plus grand essayiste anglais avec Francis Bacon, naquit et mourut à Londres. Employé à la South Sea House, puis comptable à l'East India Company, il dut subvenir aux besoins de sa sœur Mary qui, dans une crise de folie, avait assassiné leur mère. Ami de Coleridge, de Wordsworth, de Hazlitt, il mena une existence ordonnée de promeneur londonien et de collectionneur et fit paraître, en 1823, les Essais d'Elia (du nom italien d'un de ses collègues de bureau, mais aussi anagramme de « a lie » – un mensonge), qui allaient assurer sa gloire, suivis, en 1833, des Derniers essais d'Elia.

Je suis né dans le Temple et y ai passé les sept premières années de ma vie. Sa chapelle, ses grands édifices, ses jardins, ses fontaines, j'allais dire sa rivière – car en ces jeunes années qu'était ce fleuve pour moi, sinon une rivière arrosant nos lieux charmants ? – voilà quels sont mes plus vieux souvenirs. Il n'est pas, aujourd'hui encore, de vers que je me récite plus fréquemment ou avec une émotion plus attendrie, que ceux où Spenser décrit ces lieux :

> *Auxquels ils arrivèrent alors, là où des tours de brique*
> *S'élèvent au-dessus du cours, large et vénérable, de*
> *la Tamise,*

Là où maintenant les hommes de loi studieux ont
  leur demeure
Où, jadis, les Chevaliers du Temple résidaient
Avant d'être ruinés par l'orgueil.

C'est en vérité le plus beau coin de la métropole.
Quelle transition pour un provincial visitant Londres
pour la première fois, de quitter la foule du Strand ou
de Fleet Street et d'accéder, par des allées inattendues,
à ses squares vastes et magnifiques, à ses vertes retraites
académiques. Quel aspect riant et généreux a la partie
qui, sur trois côtés, domine le grand jardin, cet édifice
de belle apparence,

De robuste structure, bien que de Papier baptisé,

qui fait face, en un contraste massif, à l'autre bâtiment,
plus léger, plus ancien, plus extraordinairement vêtu de
feuillage et qui tient son nom d'Harcourt, avec la gaie
Crown Office Row (lieu de mon aimable origine) tournée droit vers le fleuve majestueux qui baigne le pied des
jardins de ses eaux encore à peine souillées par le trafic
du port ; on dirait que les Naïades de Twickenham viennent à peine de le sevrer ! On donnerait beaucoup pour
naître en de tels lieux. Quelle allure académique a cette
belle maison élisabéthaine, où joue la fontaine que j'ai si
souvent fait monter et retomber ! à la grande stupéfac-
tion des marmots de l'époque, mes contemporains, qui,
incapables de percer le secret de son mécanisme caché,
étaient presque tentés de saluer quelque opération
magique dans le merveilleux phénomène. Quel air
d'ancienneté avaient les cadrans solaires maintenant à

demi effacés, avec leurs inscriptions morales ! Ils parais-
saient aussi vieux que le temps qu'ils mesuraient et sem-
blaient tenir la révélation qu'ils avaient de sa fuite
directement du ciel, en correspondance immédiate avec
la source de la lumière ! Comme la ligne sombre pro-
gressait, imperceptiblement, observée par les yeux de
l'enfant, désireux de déceler son mouvement jamais
saisi, si subtil il était, comme un nuage évanescent ou les
premiers arrêts du sommeil.

> *Ah ! mais voici que la beauté, comme le style du*
> *cadran,*
> *S'enfuit de son visage sans que le mouvement soit*
> *perçu !*

Quelle chose morte qu'une horloge, avec ses lourdes
entrailles de plomb et de cuivre, sa façon prosaïque de
communiquer, effrontée et solennelle, comparée à la
simplicité, à la nudité d'autel, au silencieux langage du
cœur de ce vieux cadran solaire ! Il était comme le dieu
des jardins dans les jardins chrétiens. Pourquoi a-t-il
presque partout disparu ? Si son utilité pratique devait
céder la place à des inventions moins rudimentaires, son
rôle moral, sa beauté auraient pu plaider pour lui et
nous le faire conserver. Il disait les labeurs modérés, les
plaisirs qui ne se prolongeaient pas après le coucher du
soleil, il disait la tempérance et les bonnes heures de la
journée. Il était l'horloge première, l'horloge du commencement du monde. Adam pouvait difficilement ne
pas l'avoir au Paradis. Il était la mesure idéale sur
laquelle se réglaient plantes et fleurs délicates pour sortir de terre, les oiseaux pour répartir leurs gazouillis

argentés, les troupeaux pour paître et se faire conduire à la bergerie. Le berger « le traçait curieusement au couteau en plein soleil » et, rendu philosophe par cette occupation même, l'enrichissait de devises plus touchantes que celles des pierres tombales. Il était la jolie invention, rapportée par Marvell, du jardinier qui, au temps des jardins artificiels, fit un cadran de simples et de fleurs. [...]

Essais d'Elia,
traduit de l'anglais par Paul Deschamps
© Éditions Gallimard, 1998

Charles Lamb vécut comme un employé modèle de la City : près de trente ans dans les bureaux de l'East India House. Comme Léo Larguier écrivant *Saint-Germain-des-Prés mon village*, il aurait pu écrire le Temple, mon village. Le Temple s'étend entre la Tamise et Fleet Street. C'est un univers clos, fait de cours, d'allées et de jardins, qui est le cœur de la magistrature et des écoles de droit depuis le XIIIᵉ siècle. De l'autre côté de Fleet Street, s'étendent les bâtiments des Inns of Court : Middle and Inner Temple, Gray's Inn, Lincoln's Inn Fields sur lesquels ouvrent les fenêtres du John Soane Museum. Soane (1753-1837) fut l'architecte du grand mur aveugle de la Banque d'Angleterre et de la galerie de peinture de Dulwich. – L'autre grand personnage de Fleet Street, c'est Samuel Johnson (1709-1784) dont la *Vie,* par James Boswell, publiée en 1791, est le chef-d'œuvre de la biographie anglaise. Londres donna à Johnson « tout ce que la vie peut offrir ». Il vécut sur une minuscule place, Gough Square, aujourd'hui enserrée entre des immeubles de bureaux, et son appartement est devenu un musée. Il y écrivit, proche de son imprimeur, son *Dictionnaire de la langue anglaise* et ses *Vies des poètes anglais les plus célèbres.* De forte corpulence, gros mangeur et grand buveur, le Docteur Johnson était la personnalité la plus célèbre de Fleet Street, fréquentant des tavernes telles que La Mitre ou l'Old Cheshire Cheese, qui existe toujours. « Personne, à part un sot, n'a jamais écrit pour autre chose que de l'argent », proclamait-il. Et aussi : « Quand un homme est las de Londres, il est las de la vie. »

Théâtres

Stendhal (1783-1842), amoureux de l'Italie toute sa vie, se rendit à Londres en août 1817 pour s'y procurer The life of Haydn translated from French *par L.A.C. Bombet, qui venait de paraître, et descendit au Tavistock Hotel. Il y reviendra en octobre-novembre 1821, pour voir Kean jouer* Othello *à Drury Lane. De juin à septembre 1826, il voyagea en Angleterre en compagnie de Sutton Sharpe, puis vécut à Londres au Hummumms Hotel, Covent Garden. Un dernier séjour à Londres en 1837 n'est pas avéré.*

Londres me toucha beaucoup à cause des promenades le long de la Tamise vers *Little Chelsea* (little chelsy). Il y avait là de petites maisons garnies de rosiers qui furent pour moi la véritable élégie. Ce fut la première fois que ce genre fade me toucha.

[...]

Le hasard me conduisit à Tavistock Hotel, Covent Garden. C'est l'hôtel des gens aisés qui, de la province, viennent à Londres. Ma chambre, toujours ouverte dans ce pays du vol avec impunité, avait huit pieds de large et dix de long. Mais, en revanche, on allait déjeuner dans un salon qui pouvait avoir cent pieds de long, trente de large et vingt de haut. Là, on mangeait tout ce qu'on voulait et tant qu'on voulait pour cinquante sous (deux shillings). On vous faisait des biftecks à l'infini, ou l'on plaçait devant vous un morceau de bœuf rôti de quarante livres avec un couteau bien tranchant. Ensuite venait le thé pour cuire toutes ces viandes. Ce salon s'ouvrait en arcades sur la place de Covent Garden. Je trouvais là tous les matins une trentaine de bons Anglais marchant avec gravité, et beaucoup avec l'air malheureux. Il n'y avait ni affectation ni fatuité françaises et bruyantes. Cela me convint; j'étais moins malheureux dans ce salon. Le déjeuner me faisait toujours passer non pas une heure ou deux comme une diversion, mais une bonne heure. J'appris à lire machinalement les journaux anglais, qui, au fond, ne m'intéressaient point. Plus tard, en 1826, j'ai été bien malheureux sur cette même place de Covent Garden au Ouxkum Hotel, ou quelque nom aussi disgracieux, à l'angle opposé à Tavistock. De 1826 à 1832, je n'ai pas eu de malheurs.

On ne donnait point encore Shakespeare le jour de mon arrivée à Londres; j'allai à Haymarket qui, ce me semble, était ouvert. Malgré l'air malheureux de la salle, je m'y amusai assez.

She stoops to conquer, comédie de [*un blanc*], m'amusa infiniment à cause du jeu de joues de l'acteur qui faisait le mari de Miss [*un blanc*], qui s'abaissait pour conquérir; c'est un peu le sujet des [*un blanc*] de Marivaux. Une jeune fille à marier se déguise en femme de chambre.

Beaux Stratagem m'amusa fort. Le jour, j'errais dans les environs de Londres; j'allais souvent à Richmond.

Cette fameuse terrasse offre le même mouvement de terrain que Saint-Germain-en-Laye. Mais la vue plonge, de moins haut peut-être, sur des prés d'une charmante verdure parsemés de grands arbres vénérables par leur antiquité.

Souvenirs d'égotisme

Lorsque Stendhal se rend à Londres, il va au théâtre, comme il y allait à Milan. Il voit *The Beaux Stratagem* de George Farquar et *She stoops to conquer* d'Oliver Goldsmith, au théâtre de Haymarket, qui se trouve toujours au cœur du Londres des cinémas et des théâtres, près de Leicester Square. Le jour, il se promène aux environs de Londres, souvent à Richmond. C'était la résidence d'été des rois d'Angleterre. Le parc de 950 hectares abrite des cerfs et des daims, et les étangs des cygnes et des oiseaux aquatiques. C'est là que mourut Edmund Kean (1787-1833), le plus grand acteur de son temps, interprète des grands rôles shakespeariens. Stendhal le vit dans *Othello* à Drury Lane. Ce théâtre, l'un des plus anciens de Londres, avait été ouvert en 1633. Incendié plusieurs fois, comme il se doit pour un théâtre, il date, tel qu'il est aujourd'hui, de 1812. Il est situé non Loin d'Aldwych, sur le Strand et, sous la direction de Garrick, on y joua l'opéra anglais, la tragédie, puis l'opéra italien. Les autres théâtres les plus célèbres étaient l'Old Vic, près de Lambeth Palace, sur la rive sud de la Tamise, haut lieu de la scène shakespearienne, et le Globe, fondé en 1599, sur Bankside (Shakespeare en était actionnaire) dans le quartier de Southwark, qui ne fut véritablement réhabilité que dans la seconde moitié du XXe siècle, avec le Royal Festival Hall et la Tate Modern Gallery.

THOMAS DE QUINCEY

Solitude dans Oxford Street

Thomas De Quincey (1785-1859) vint à Londres très jeune et y vécut misérablement. Il y rencontra une fille des rues, Ann, qui partagea sa détresse, le soutint et le consola. Il s'absenta et, à son retour, la chercha désespérément au long d'Oxford Street, sans jamais la retrouver. Cet épisode de sa vie, conté dans les Confessions *d'un opiomane anglais, bouleversa Musset, Baudelaire, Apollinaire et bien d'autres. Ami de Coleridge, de Wordsworth, de Southey, il s'installa dans la région des Lacs, puis à Edimbourg, poursuivant son œuvre, l'une des plus fascinantes de la littérature anglaise.*

Ainsi donc, Oxford Street, marâtre au cœur de pierre, toi qui as écouté les soupirs des orphelins et bu les larmes des enfants, j'étais enfin délivré de toi ! Le temps était venu où je ne serais plus condamné à arpenter douloureusement tes trottoirs, à faire des rêves pour me réveiller captif des affres de la faim ! Ann et moi nous avons eu nos successeurs trop nombreux qui ont foulé les traces de nos pas ; héritiers de nos calamités, d'autres orphelins ont soupiré ; des larmes ont été versées par d'autres enfants ; et toi, Oxford Street, tu as depuis lors répété l'écho des gémissements de cœurs innombrables. Mais pour moi la tempête à laquelle j'avais survécu semblait avoir été le gage d'une belle saison prolongée ; les souffrances précoces que j'avais endurées, avoir payé la rançon de nombreuses années à venir, être le prix d'une longue immunité contre le chagrin : et si je marchais encore dans Londres, solitaire et méditatif (comme je le fis bien souvent), ce fut la plupart du temps l'âme paisible et sereine.

[...]

Mais ces tourments sont passés : et tu liras ces récits d'une période pour nous deux si douloureuse comme la légende de quelque rêve hideux qui ne reviendra plus. Cependant, je suis de nouveau à Londres, de nouveau j'arpente la nuit les trottoirs d'Oxford Street ; et souvent, quand je suis oppressé par des soucis qui, pour être endurés, exigent toute ma philosophie et le réconfort de ta présence, et qu'il me souvient que je suis séparé de toi par trois cents milles et par la longueur de trois tristes mois, je suis des yeux, par les nuits de lune, les rues qui courent vers le nord à partir d'Oxford Street et je me rappelle le cri d'angoisse de ma jeunesse ; – et me souvenant que tu es assise seule dans cette même vallée, maîtresse de cette même maison vers laquelle mon cœur aveugle se tournait voici dix-neuf ans, je pense que, si aveugles en effet qu'ils fussent et dispersés au vent comme plus tard ils l'ont été, les désirs de mon cœur pouvaient se référer à une période plus éloignée dans l'avenir et se justifier par une autre interprétation : oui ; si je pouvais me permettre de condescendre à nouveau aux vœux impuissants de l'enfance, je dirais encore en regardant vers le nord : « Oh ! si j'avais les ailes de la colombe... » et avec une confiance combien fondée en ta bonne et gracieuse nature, je pourrais ajouter la seconde moitié de mon invocation juvénile : « Et c'est *par là* que je prendrai mon vol pour chercher le réconfort. »

Les Confessions d'un opiomane anglais,
traduit de l'anglais par Pierre Leyris
© Éditions Gallimard, 1962

Oxford Street, que Thomas De Quincey a immortalisée, n'était pas encore, entre Marble Arch et Tottenham Court Road, « cette artère où la circulation intense des voitures ne le dispute qu'à celle des passants sur chaque trottoir, dans l'une des plus sinistres monotonies que puisse engendrer la bonne ville de Londres, comme l'écrit Pierre-Jean Rémy. Oxford Street ou l'horreur des courses dans les grands magasins, Oxford Street ou la chasse aux soldes ». D'un côté, Selfridge's, avec ses bannières pendantes et Mark's and Spencer ; de l'autre, les marchands de souvenirs les plus vulgaires, de la Tour de Londres aux portraits de la princesse Diana –, les boutiques de sandwiches, de films vidéo, etc. et des officines d'on ne sait quoi, en étage. Soho, tout proche, paraît le comble du luxe. Heureusement, derrière Selfridge's, se trouve la Wallace Collection, dans Hertford House, Manchester Square. Sir Richard Wallace, l'inventeur, à Paris, des fontaines du même nom, légua ses collections à l'Angleterre, la France lui ayant refusé la Légion d'honneur. Ici, Fragonard et Boucher côtoient Greuze et Proudhon. Ici, *Le jeune Galeazzo Sforza lisant Cicéron* de Vincenzo Foppa semble sourire, à travers quatre siècles, à la *Petite fille aux fraises* de sir Joshua Reynolds.

Au-delà d'Oxford Circus et de Saint Giles Circus – autrefois véritable Cour des Miracles et quartier des Irlandais immigrés – commence New Oxford Street, où se trouve l'une des plus merveilleuses boutiques de Londres :

Le goût de Londres

James Smith and Sons, marchands de cannes et de para-
pluies depuis 1830. Mais pour l'amoureux de Londres,
Oxford Street restera toujours liée au souvenir de la petite
Ann.

«Courses d'Ascot Heath»

Flora Tristan (Paris 1803-Bordeaux 1844) fit plusieurs voyages en Angleterre, en 1826, 1831 et 1835, dont nous ignorons à peu près tout. Entrée en contact avec Charles Fourier, elle milita toute sa vie pour les droits des femmes et contre la peine de mort. C'est d'un quatrième voyage, en été 1839, qu'elle rapporta ses Promenades dans Londres, *véritable réquisitoire contre la misère sociale en Angleterre et les abus de toutes sortes. Trois ans plus tard, Friedrich Engels, dans ses* Lettres de Londres, *dénonçait les mêmes situations.*

En Angleterre, les courses sont de grands événements, qui prennent, aux yeux des spectateurs, le caractère d'une solennité. Les courses d'Ascot ont lieu dans les trois derniers jours de mai ; elles sont pour le peuple de Londres et des environs ce que sont pour les catholiques les augustes cérémonies de la Semaine Sainte à Rome, ou ce que sont pour les Parisiens les trois derniers jours du carnaval.

Cette grande fête a un attrait universel pour les Anglais de tout sexe, de tout âge, de toutes conditions. Pour figurer dignement dans ces trois jours, chacun se met en frais. Les dames de la haute aristocratie font venir de Paris les toilettes les plus nouvelles, les plus élégantes ; les Lords, les financiers, les riches fashionables, tout ce peuple de dandys commandent de riches équipages, achètent de nouveaux chevaux et habillent leurs gens d'une livrée neuve. Les marchands de la Cité ferment boutique, louent une remise et abandonnent les affaires pour les courses. Les femmes galantes, dans leurs plus beaux atours, se prélassent dans de riches coupés traînés par quatre chevaux que conduisent deux jockeys, et ces jockeys se distinguent par la couleur de la veste, qui est rouge, jaune, verte, bleue, etc. mais tous ont le costume de rigueur : culotte de peau blanche, bottes à revers, petite casquette de chasse. Il n'y a pas, enfin, jusqu'à la dernière des prostituées qui ne trouve moyen, dût-elle mettre en gage sa seule chemise, d'acheter pour ce jour-là des souliers, des gants, une robe et un chapeau neufs. Telle femme économe qui s'est privée, pendant tout l'hiver, des choses les plus nécessaires dépense, pour aller aux courses, toutes ses petites épargnes avec une prodigalité qui tient de l'enthousiasme.

Les petites maîtresses parisiennes s'imaginent peut-être que les courses d'Ascot sont des promenades semblables en tout à notre Longchamp, dont le chemin est arrosé, afin que la poussière ne vienne pas faner les fraîches toilettes, et que les dames anglaises, assises commodément sur des chaises, n'ont d'autre fatigue que de se laisser admirer. Non, en Angleterre, les choses ne se passent pas ainsi.

Ascot est situé à trente milles de Londres, et comme la première course commence ordinairement à midi, il faut que les amateurs partent de Londres à quatre, cinq ou six heures du matin afin d'arriver à temps. Il n'y a qu'une route pour aller à Ascot, et depuis quatre heures jusqu'à midi ou une heure plus de trois mille voitures de toute espèce suivent le même chemin. La route est généralement large ; cependant en quelques endroits, elle est fort étroite ; il se trouve plusieurs ponts et de plus une quantité de barrières où il faut payer ; dans ces circonstances on prend la file. Le chemin est sablonneux et, comme la veille du jour où j'assistai aux courses, il avait plu, les ornières étaient parfois très mauvaises. Après Windsor, les routes entraient dans un sable mouvant semblable à de la cendre. Eh bien, chose admirable, malgré les inconvénients de la route et l'encombrement des équipages, l'ordre le plus parfait ne cessa de régner un instant, et je n'entendis pas dire qu'*une seule voiture eût versé*.

Promenades dans Londres

Le Londres du règne de la reine Victoria, de 1837 à 1901, fut le plus sinistre de l'histoire de l'Angleterre, placé qu'il fut sous l'emprise de la révolution industrielle, du capitalisme naissant et de l'accroissement de la misère. Pour les pauvres, Londres devint l'enfer. La criminalité des enfants atteignit des niveaux insoupçonnables : « On peut être *félon* (criminel) à sept ans, conséquemment on peut être pendu à cet âge, écrit Flora Tristan. Blackstone rapporte que, de son temps, le jury a condamné à mort des enfants de huit ans, qui ont été exécutés ; j'en ai vu de cet âge condamnés à la déportation. » La prison de Newgate était l'un des cercles de l'Enfer. « La faim ne connaissait point de bornes : on gardait des cadavres cinq ou six jours de suite sans les déclarer, pour obtenir leurs rations : les voisins appelaient cela *vivre de son mort*. » La prostitution des enfants les plus jeunes était monnaie courante. C'était le temps où la reine Victoria, toujours fidèle à son cher époux le prince Albert de Saxe-

Cobourg-Gotha, dont le monument, par sa hideur, dépare Hyde Park, en face du Royal Albert Hall, était impératrice des Indes et menait une vie plus dissolue qu'on ne l'a dit. Flora Tristan n'eut de cesse de dénoncer les ignominies d'une Angleterre où les *upper classes* avaient droit de vie et de mort sur ceux qui leur étaient inférieurs.

THÉOPHILE GAUTIER

«Caprices et Zigzags»

*Théophile Gautier (1811-1872) fut non seulement romancier
et poète (son influence sur les poètes anglo-saxons, notamment T.S. Eliot et Ezra Pound, fut essentielle), mais aussi
chroniqueur dramatique et historien d'art. De ses nombreux
voyages, à Constantinople, en Espagne, en Russie, en Italie,
en Angleterre, il rapporta des souvenirs qui font de lui, dans
la littérature française, l'un des grands écrivains voyageurs.*

LES PONTS DE LONDRES

Londres occupe une énorme surface : les maisons sont
peu hautes, les rues très larges, les squares grands et
nombreux ; le parc Saint-James, Hyde-Park et Regent's
Park couvrent d'immenses terrains : il faut donc presser
le pas, autrement l'on n'arriverait à destination que le
lendemain.

La Tamise est à Londres ce que le boulevard est à
Paris, la principale ligne de circulation. Seulement, sur la
Tamise, les omnibus sont remplacés par de petits
bateaux à vapeur étroits, allongés, tirant peu d'eau,
dans le genre des *Dorades*, qui allaient du Pont-Royal à
Saint-Cloud. Chaque trajet se paye six pence. L'on va
ainsi à Greenwich, à Chelsea ; des cales sont établies
près des ponts où se prennent et se déposent les passa-

gers. Rien de plus agréable que ces petits voyages de dix
minutes ou d'un quart d'heure qui font défiler devant
vous, comme un panorama mobile, les rives si pitto-
resques du fleuve. Vous passez ainsi sous tous les ponts
de Londres. Vous pouvez admirer les trois arches de fer
du pont de Southwark, d'un jet si hardi, d'une ouverture si vaste ; les colonnes ioniennes qui donnent un
aspect si élégant au pont de Blackfriars, les piliers
doriques d'une tournure si robuste et si solide de Waterloo Bridge, le plus beau du monde assurément. En descendant de Waterloo Bridge, vous apercevez, à travers
les arches du pont de Blackfriars, la silhouette gigantesque de Saint-Paul, qui s'élève au-dessus d'un océan
de toits, entre les aiguilles et les clochers de Sainte-
Marie-le-Bow, de Saint-Benoît et de Saint-Mathieu, avec
une portion du quai encombrée de bateaux, de barques
et de magasins. Du pont de Westminster vous découvrez
l'antique abbaye de ce nom élevant dans la brume ses
deux énormes tours carrées qui rappellent les tours de
Notre-Dame de Paris, et qui portent à chaque angle un
clocheton aigu ; les trois clochers bizarrement tailladés
à jour de Saint-Jean-l'Évangéliste, sans compter les
dents de scie formées par les aiguilles des chapelles loin-
taines, les cheminées de fabriques et les toits de maisons.
Le pont de Vauxhall, qui est le dernier qu'on trouve de
ce côté clôt dignement la perspective. Tous ces ponts,
qui sont en pierre de Portland ou en granit de Cor-
nouailles, ont été construits par des sociétés particulières, car à Londres le gouvernement ne se mêle de rien,
et les dépenses en sont couvertes par un droit de péage.
Ce péage, pour les piétons, est perçu d'une façon assez
ingénieuse. On passe par un tourniquet qui, à chaque

tour, fait avancer d'un cran une roue graduée placée dans le bureau de perception ; de cette manière on sait exactement le nombre de gens qui ont traversé le pont dans la journée, et la fraude est impossible de la part des employés.

Pardonnez-moi si je vous parle toujours de la Tamise, mais le panorama mouvant qu'elle déroule sans cesse est quelque chose de si neuf et de si grandiose, qu'on ne saurait s'en détacher. – Une forêt de trois-mâts au milieu d'une capitale est le plus beau spectacle que puisse offrir aux yeux l'industrie de l'homme.

Caprices et Zigzags, 1852

Le port de Londres a longtemps été le premier du monde. Les West India Docks furent inaugurés en 1802 sur l'emplacement de l'île aux Chiens. Ils ont été remplacés par le Canary Wharf, immense ensemble de bureaux, véritable centre des affaires, d'où les bateaux de plaisance n'ont toutefois pas été exclus. Les St Katherine's Docks ont subi le même sort : ils ont été transformés en un centre de commerce international, le World Trade Centre. Il ne reste rien du sinistre quartier de Wapping, où vivait toute une population misérable. On n'en trouve plus le souvenir que chez Jules Vallès ou Théophile Gautier : « Les docks des Indes occidentales ont quelque chose d'énorme, de gigantesque, de fabuleux, qui dépasse la proportion humaine. C'est une œuvre de Cyclopes et de Titans. Au-dessus des maisons, des magasins, des rampes, des escaliers et de toutes les constructions hybrides qui obstruent les abords du fleuve, vous découvrez une prodigieuse allée de mâts de vaisseaux qui se prolonge à l'infini, un inextricable fouillis d'agrès, d'espars, de cordages, à faire honte, par la densité de l'enlacement, aux lianes les plus chevelues d'une forêt vierge d'Amérique. C'est là que l'on construit, que l'on radoube, que l'on remise cette innombrable armée de navires qui vont chercher les richesses du monde, pour les verser ensuite dans ce gouffre sans fond de misère et de luxe que l'on nomme Londres. »

THÉOPHILE GAUTIER

« GASTRONOMIE BRITANNIQUE »

La soupe à la tortue, *turtle soup,* est une soupe éminemment anglaise ; – elle figure bien à Paris, pour mémoire, sur la carte de quelques restaurateurs ; – mais quand par hasard vous en demandez, l'on vous sert une mixture apocryphe et noirâtre, assez abominable au goût et à l'œil. – La soupe à la tortue authentique est d'un brun verdâtre, et d'une consistance gélatineuse, rappelant le tapioka très épais : quelques morceaux de la chair même de l'animal nagent confusément sous la demi-transparence du bouillon. Toutes les épices de l'Amérique et de l'Inde se réunissent dans le *turtle soup,* de manière à produire un ragoût des plus véhéments. À la première cuillerée, un honnête Parisien, qui n'a pas l'habitude de ces cuisines transcendantes, se croit empoisonné, et regarde son convive insulaire avec inquiétude, pour voir s'il ne va pas éclater comme une bombe ; à la seconde, il commence à discerner quelques saveurs à travers l'incendie général du palais ; les houppes nerveuses, les papilles, trop vivement excitées d'abord, reviennent de leur effroi en appréciant mieux les émanations qui viennent les titiller ; à la troisième, il est tout à fait habitué, et trouve la soupe à la tortue ce qu'elle est réellement, un héroïque et moelleux potage.

Quelques gourmets y ajoutent le jus d'un citron

55

pressé. Ayant usé de l'une et de l'autre, nous déclarons que la première manière est la meilleure ; en cuisine comme en tout, le mieux est l'ennemi du bien.

Après la soupe à la tortue on sert du punch glacé – *iced punch* – c'est le seul breuvage capable de dissiper la forte et persistante saveur de cette soupe énergique.

Sans cette précaution, l'on ne pourrait discerner le goût des mets qu'on vous servirait ensuite.

Le poisson prédomine naturellement dans un dîner fait à Greenwich ; la rivière est là ; il n'y a qu'à se baisser pour en prendre ; de la croisée vous pourriez pêcher à la ligne.

Ce premier service se compose de petites soles ou limandes cuites au court-bouillon, et assaisonnées de menthe ; de tronçons d'anguilles monstrueuses ; de côtelettes de saumon au piment – par côtelettes de saumon, il faut entendre des tranches arrangées dans cette forme – et de *white baits,* ce qui est la friandise locale et suprême, comme les royans de Bordeaux et les clovisses de Marseille.

Les *white baits* (littéralement amorces blanches) sont de petits poissons argentés, d'une petitesse microscopique. Ceux qui ont plus de trois ou quatre lignes de long passent pour les monstres de l'espèce. Figurez-vous une friture de goujons réduite à l'échelle de Lilliput, une pêche miraculeuse à l'usage de Tom Pouce – il faut pour remplir une cuiller, des bancs entiers de ces imperceptibles animalcules. Aussi un plat de *white baits* coûte-t-il assez cher ; le goût de ce poisson miniature a du rapport avec celui de l'éperlan.

L'habitude, en mangeant ce service, est de boire du vin de la Moselle ou du Rhin, frappé, sucré et parfumé

d'herbes aromatiques. Cet hypocras n'a d'autre incon-
vénient que de griser très vite, car sa feinte douceur
cache beaucoup de force.

Le second service consiste en poulet, gigot d'agneau,
jambon d'York, légumes de toutes sortes, cuits à l'eau,
et qu'on saupoudre de poivre rose de Cayenne, qu'on
arrose d'Harwey-sauce, d'essence d'anchois, de carri et
autres ingrédients indous et diaboliques, toujours sous
prétexte d'horreur des ragoûts et d'amour de la cuisine
simple. Le vin de Champagne frappé, ou quelque cru
supérieur de Bordeaux, servent à éteindre, tant bien que
mal, la soif produite par ces méthodes incendiaires. Il
est bien entendu que des carafes pleines de sherry ou de
porto figurent inamoviblement sur la table, dans le but
de représenter l'eau. Pour dessert, des cœurs de laitue
ou des pieds de céleri, des fraises magnifiques, d'une
grosseur énorme, sur lesquelles on verse de la crème gla-
cée, toutes les variétés de fruits rouges, du fromage de
Chester, des oranges, des ananas – très communs à
Londres –, et de petites pâtisseries croquantes, ressem-
blant en général à du biscuit de mer. – La séance se termine par du café, de l'eau-de-vie de Cognac et du thé.

Ce dîner, plus ou moins développé ou restreint, sui-
vant le nombre ou l'appétit des convives, peut être pris
pour une moyenne caractéristique des parties fines qui
se font à Greenwich.

Caprices et Zigzags, 1852

Casanova, qui se trouvait à Londres en 1723, notait :
« L'Anglais ne mange presque pas de pain, et il prétend
d'être économe en ce qu'il épargne la dépense de la
soupe et du dessert, ce qui me fit dire que le dîner des

Anglais n'a ni commencement ni fin. La soupe est considérée comme une grande dépense, parce que les domestiques même ne veulent pas manger du bœuf avec lequel on a fait du bouillon. Ils disent qu'il n'est bon que pour être donné aux chiens. » – Londres oscille toujours entre exotisme et tradition. On trouve de plus en plus de restaurants proposant une vraie cuisine anglaise. Les petits déjeuners sont un rite : le haddock poché, les œufs frits au bacon et aux petites saucisses, les toasts de pain blanc ou noir, les confitures et marmelades, le thé. La *turtle soup*, la *mint sauce* qui accompagne le gigot, la *cranberry sauce* avec la grouse, le stilton avec un verre de porto et un brin de céleri, le *sponge cake* avec la *custard* sont des délices et les vins de Bordeaux parmi les meilleurs qu'on puisse boire. Sans parler des *Dover soles* et des huîtres de Colchester.

CHARLES DICKENS

Bords de la Tamise

Charles Dickens (1812-1870) est à coup sûr le plus grand romancier anglais de l'ère victorienne : Les Aventures de M. Pickwick *(1837),* Oliver Twist *(1838),* Le Magasin d'antiquités *(1840),* David Copperfield *(1849),* Les Grandes Espérances *(1861). Peintre de l'une des périodes les plus sombres de l'histoire de l'Angleterre – enfance malheureuse, débuts de l'industrialisation – ses romans, souvent inspirés de souvenirs personnels, comportent des tableaux qui évoquent sans pitié le Londres de la misère et du vice.*

Près de cette partie de la Tamise sur laquelle donne l'église de Rotherhithe, là où les bâtiments de la berge sont les plus sales et les bateaux du fleuve le plus noircis par la poussière des charbonniers et la fumée des maisons basses serrées les unes contre les autres, se trouve la plus étrange, la plus extraordinaire des nombreuses localités qui se cachent dans Londres, localité totalement inconnue, même de nom, à la majorité des habitants de la grande ville.

Pour atteindre ce lieu, le visiteur doit passer par un dédale de rues sans air, étroites et boueuses, où se pressent les plus grossiers et les plus pauvres des riverains, et dont le commerce est consacré à tout ce qui est censé convenir à pareille population. Dans les boutiques s'entassent les comestibles les moins coûteux et les

moins délicats ; les articles d'habillement les plus rudes
et les plus communs se balancent à la porte du marchand ou ruissellent par les fenêtres et le parapet de sa
maison. Coudoyé par des chômeurs de la plus basse
classe, des lesteurs, des déchargeurs de charbon, des
femmes effrontées, des enfants déguenillés, par toute la
racaille et tout le rebut du fleuve, ce visiteur se fraie un
chemin difficile, assailli par les odeurs et les spectacles
repoussants des étroites venelles qui s'amorcent à droite
et à gauche, assourdi par les fracas des pesants camions
sur lesquels s'amoncellent les marchandises enlevées aux
piles des entrepôts qui s'élèvent de toutes parts. Quand
il arrive enfin dans des rues plus écartées et moins fréquentées que celles par où il a dû passer, il longe des
maisons aux façades branlantes en surplomb sur le
pavé, des murs à demi ruinés qui semblent vaciller à son
passage, des cheminées défoncées qui hésitent à s'écrou-
ler, des fenêtres protégées par des barreaux de fer
rouillés et presque entièrement dévorés par l'âge et la
crasse, bref tous les signes imaginables de la misère et
de l'abandon.

Tels sont les parages où, au-delà de Dockhead dans
le quartier de Southwark, se trouve l'Île de Jacob, entou-
rée d'un fossé boueux, profond de six à huit pieds et
large de quinze à vingt à marée haute, autrefois appelé
l'Étang de la Fabrique, mais connu au moment où se
place cette histoire sous le nom de Fossé de la Folie.
C'est une sorte de crique ou de petit bras de la Tamise,
et on peut toujours le remplir à marée haute en ouvrant
les écluses de la fonderie de plomb qui lui a donné son
nom. À ces moments-là, un étranger en regardant du
haut d'un des ponts de bois qui le traversent à Mill Lane

verra les habitants des maisons situées de part et d'autre
laisser descendre par les portes et les fenêtres de derrière
baquets, seaux et ustensiles ménagers de toutes sortes
pour remonter de l'eau : s'il détourne son regard de
cette activité pour le reporter sur les maisons elles-
mêmes, il sera considérablement étonné par la scène
qu'il aura devant lui. Branlantes galeries de bois com-
munes aux derrières d'une demi-douzaine de maisons et
percées de trous permettant de contempler la vase qui
s'étend au-dessous ; fenêtres aux carreaux brisés remplacés par du carton, par lesquelles sortent des perches
destinées à faire sécher un linge qu'on n'y voit jamais ;
pièces si petites, si infectes, si renfermées que l'air
semble devoir y être trop corrompu même pour la saleté
et la misère qu'elles abritent ; appentis de bois lancés au-
dessus de la boue et menaçant d'y choir – comme on l'a
vu faire à certains ; murs barbouillés aux fondations
délabrées ; toutes les repoussantes caractéristiques de la
pauvreté, tous les signes nauséabonds de la saleté, de la
pourriture et des immondices : voilà de quoi s'ornent les
berges du Fossé de la Folie.

Dans l'Île de Jacob, les entrepôts, vidés, n'ont plus de
toit ; les murs s'écroulent ; les fenêtres ne sont plus des
fenêtres ; les portes tombent dans la rue ; les cheminées,
bien que noires de suie, ne lancent aucune fumée. Il y a
trente ou quarante ans, avant que des embarras financiers et des procès en Cour de Chancellerie ne s'abattis-
sent sur elle, c'était un lieu prospère ; maintenant, ce
n'est plus qu'une Île désolée. Les maisons n'ont plus de
propriétaires ; elles sont ouvertes à tous les vents, et y
entre qui en a le courage. Il en est qui y vivent et y meu-
rent ; mais quels puissants motifs ils doivent avoir de se

cacher, ceux qui cherchent refuge dans l'Île de Jacob, ou bien quel affreux dénuement doit être le leur !

Les Aventures d'Oliver Twist,
traduit de l'anglais par Francis Ledoux
© Éditions Gallimard, 1958

Toute l'œuvre de Charles Dickens est un hymne d'amour, à la fois révolté et sentimental, à Londres, qu'il découvrit dès l'âge de douze ans, distribuant des prospectus, fréquentant les prêteurs sur gages (son père connut la prison pour dettes) et travaillant pour une fabrique de cirage, où il colle des étiquettes dans un entrepôt des bords de la Tamise infesté de rats. À quatorze ans, il est commis chez un avoué, tout en passant son temps libre à la salle de lecture du British Museum, puis sténographe du Tribunal ecclésiastique et rédacteur parlementaire au *Morning Chronicle*. En 1836, avec la parution des *Esquisses par Boz*, commence une immense gloire littéraire, qui ne se démentira pas et qui dépassera les frontières de l'Europe : il donnera, aux États-Unis, des lectures triomphales de ses œuvres. Ne se démentira jamais non plus son indignation pour tous les abus sociaux. Il se penche sur les mauvais traitements dont sont victimes les enfants dans les écoles, visite les manufactures de Manchester, les prisons et les asiles de nuit de Londres, fonde un foyer pour filles repenties, s'occupe de la construction de logements sociaux dans les quartiers déshérités, Whitechapel notamment, lutte contre les causes de l'ivrognerie, s'élève contre la peine capitale et les exécutions en public. Le musée Charles-Dickens se trouve 48, Doughty Street, dans Bloomsbury.

Maisons

Hippolyte Taine (1828-1893), plus connu pour ses essais de critique et d'histoire, Origines de la France contemporaine *(1876), et son roman* Vie et opinions de Frédéric Thomas Graindorge, docteur en philosophie de l'Université d'Iéna, principal associé commanditaire de la Maison Graindorge et Cie (huile, porc salé) à Cincinnati U.S.A., *effectua des voyages en Europe, notamment en Italie et en Angleterre, dont il s'intéressa aux mœurs et à la littérature et d'où il rapporta des* Notes sur l'Angleterre *(1872).*

Trois millions deux cent cinquante mille habitants ; cela fait douze villes comme Marseille, dix villes comme Lyon, deux villes comme Paris en un tas : mais des mots sur le papier ne peuvent remplacer la sensation des yeux. Il faut prendre un cab plusieurs jours de suite, et pousser en avant, au sud, au nord, à l'est, au couchant, pendant toute une matinée, jusqu'aux confins vagues où les maisons s'éclaircissent et laissent commencer la campagne.

Énorme, énorme, c'est le mot qui revient toujours. Et, de plus, riche et soigné ; par conséquent, ils doivent nous trouver négligés et pauvres. Paris est médiocre à côté de ces squares, de ces *crescents*, de ces cercles et de ces files de maisons monumentales en pierres massives, à portiques, à façades sculptées, de ces rues si larges : il y en a cinquante aussi vastes que celle de la Paix. Napoléon III n'a démoli et rebâti Paris que parce qu'il a vécu à Londres. Dans le Strand, dans Piccadilly, dans Regent Street, aux environs du pont de Londres, en vingt endroits roule une foule, un bruissement, un encombrement que notre boulevard le plus affairé et le plus fourmillant n'atteint pas. Tout est ici sur un plus grand module ; les clubs sont des palais, les hôtels sont des monuments ; la rivière est un bras de mer ; les cabs vont deux fois plus vite ; les mariniers et les conducteurs d'autobus avalent toute une phrase en un mot, on économise les paroles et les gestes, on tire tout le parti possible de l'action et du temps ; l'homme produit et dépense deux fois autant que chez nous.

Du pont de Londres jusqu'à Hampton Court, il y a huit milles, presque trois lieues de bâtisses. Après les rues et les quartiers construits d'un jet, d'un bloc, par massifs, comme une ruche sur un modèle, viennent d'innombrables maisons de plaisance, cottages entourés de verdure et d'arbres, dans tous les styles, gothique, grec, byzantin, italien du Moyen Âge ou de la Renaissance, avec tous les mélanges et toutes les nuances des styles, ordinairement par files ou paquets de cinq, dix, vingt semblables, et visiblement de la main du même entrepreneur, comme autant d'exemplaires du même vase ou du même bronze. Ils manient les maisons comme nous manions les articles-Paris. Quelle multitude de vies aisées, confortables et riches ! On devine des gains multipliés, une bourgeoisie opulente, dépensière, tout autre que la nôtre, si gênée, si resserrée. Les plus modestes, en briques brunes, sont jolies à force de propreté ; on y voit des carreaux luisants

comme des glaces, presque toujours un parterre vert et
fleuri, sur la façade un lierre, un chèvrefeuille, une gly-
cine. – Tout le pourtour de Hyde Park est couvert de
maisons semblables, mais plus belles et qui, au milieu
de Londres, gardent un air de campagne. Chacune est à
part, dans son carré de gazon et d'arbustes : deux
étages d'une correction et d'une tenue parfaites : un
portique, une sonnette pour les fournisseurs, une sonnette pour les visiteurs, un sous-sol pour la cuisine et
les domestiques, avec un escalier de service ; très peu de
moulures et d'ornements ; pas de persiennes exté-
rieures ; de grandes fenêtres claires qui laissent bien
entrer le jour ; des fleurs sur le rebord et au péristyle ;
des écuries dans un renfoncement distinct, pour que
l'odeur et la vue soient écartées ; tout le dehors enduit
d'un stuc blanc, luisant, vernissé ; pas une tache de
boue, ni de poussière ; les arbres, les gazons, les fleurs,
les domestiques sont soignés comme pour une exposi-
tion de produits modèles. – Comme on comprend
l'habitant d'après sa coquille ! C'est d'abord le Germain
qui aime la nature et qui a besoin d'un semblant de
campagne ; c'est ensuite l'Anglais, qui veut être seul
chez lui, dans son escalier comme dans sa chambre, à
qui la promiscuité de nos grandes cages parisiennes
serait insupportable, et qui, même à Londres, arrange
sa maison en petit château indépendant et fermé.
Simple d'ailleurs et sans besoin d'étalage extérieur ; par
contre exigeant en matière de tenue et de confortable,
et séparant sa vie de celle de ses inférieurs. – Quantité
étonnante de maisons pareilles dans le West End. –
Environ six mille francs de loyer, de cinq à sept domestiques ; le maître dépense de trente à soixante mille

francs par an. Il y a dix de ces fortunes et de ces vies en Angleterre contre une en France.

Notes sur l'Angleterre, 1872

Lorsqu'en 55 avant J.-C., César fit avancer son armée vers la Tamise, il constata que « cette rivière ne peut être passée à gué que dans un seul endroit, et encore très difficilement ». Cinq siècles plus tard, Cassiodore notait que « Londinium était célèbre par son commerce et grouillait de marchands ». Au Ve siècle, les Romains édifièrent une enceinte, le *London Wall*, dont subsistent quelques éléments, près du Barbican Centre. Du Londres médiéval, il reste des vestiges, comme le Guildhall et du Londres des Tudors et des Stuarts St James Palace. Après le Grand Incendie, Christopher Wren et Nicholas Hawksmoor reconstruisirent de nombreuses églises, dont la cathédrale Saint-Paul et St Mary-le-Bow. Mais c'est avec la période géorgienne que Londres revêtit vraiment son aspect actuel. Le XVIIIe siècle vit apparaître les enduits blancs ou ivoire des façades, ainsi que les *terraces* et les *crescents*. L'art néo-gothique connut son apogée sous le règne de Victoria, avec les grandes gares et les hôtels y attenant, comme St Pancras ou encore le nouveau palais de Westminster, reconstruit par Augustus Webby Northmore Pugin, après l'incendie de 1834. La brique et la *terracotta* furent utilisées pour le Royal Albert Hall, par exemple. L'architecture édouardienne laissa, entre autres, les magasins Harrod's. Le Blitz, de septembre 1940 à mai 1941 et les bombardements de l'automne 1944 firent 30 000 victimes et détruisirent 100 000 maisons. C'est dans les deux dernières décennies du XXe siècle que Richard Rogers érigea le building des Lloyd's dans la City et Cesar Pelli la Canary Wharf Tower, haute de 244 mètres.

JULES VALLÈS

« Billingsgate »

Jules Vallès (1832-1885) eut une jeunesse de misère et de luttes. Romancier (L'Enfant, 1879 ; Le Bachelier, 1881), il fut aussi un ardent polémiste (La Rue, 1867). Il connut, à plusieurs reprises, la prison. Affilié à l'Internationale et membre de la Commune de Paris, il fut condamné à mort et parvint à fuir en Angleterre, où il devint correspondant de plusieurs journaux parisiens. Il ne rentra à Paris qu'en 1883.

Toute la mer aboutit là : cette mer qui, non contente de porter sur son dos, comme un nègre, les cassettes flottantes où est empilée la richesse du monde, porte aussi dans ses entrailles le régal des riches, la provende des pauvres. Elle se venge quelquefois de ceux qui la dépeuplent, et avale les bateaux par les soirs d'orage ; mais tout n'est pas perdu pour Lower Thames Street : la pièce est peut-être plus grasse là où les pêcheurs sont tombés, amorce fraîche, appât vivant. Et, chaque matin, la halle de Billingsgate reçoit son gibier d'écailles, abondant au gré des révolutions qui éclatent dans le ciel ou sous les flots ; cela dépend du flux d'en bas et du vent d'en haut, mais il y a toujours du saumon pour Belgravia et des harengs pour Whitechapel !

Oui, tout ce qu'on a volé aux océans et aux rivières arrive ici – le fretin et le bouquet – les petits, les grands, ceux qui ont l'air de coulées d'argent et ceux qui ont

67

l'air de feuilles de cuivre, ceux qui ont encore la chair palpitante et ceux qui ont été déjà saturés de sel, saoulés de fumée. Leur peau métallisée ou leur robe luisante s'écorche sous la corde qui retient le lot, sous la pelle qui remue le tas, sous le coup de poing du déchargeur, sous le coup d'ongle de l'acheteur – revanche de tous les naufragés qui ont engraissé le courant !

C'est à cinq heures du matin que tout cela fait son entrée dans la rue basse de la Tamise.

[...]

Des grillages noirs, des vitres blafardes, des arêtes, des griffes, toutes les menaces des forteresses, tous les reflets des prisons – le travail anglais a cette mine de tortionnaire ou de supplicié. Les murs où est accroché cet attirail d'Inquisition, et qui ont l'air de suer la mort, sont la carcasse d'une usine ou d'une brasserie qui travaille sans cesse, et garde en lézardes, sur ses flancs brûlés, les mâchures de l'éternel accouchement. Entre ces haies de briques sombres, montant plus haut que les mâts des vaisseaux ancrés là-bas, du côté des docks, des ruelles s'étirent, comme les anguilles boueuses qui vont gluer le pavé dans un moment. On ne peut y passer deux de front. Jamais il n'est entré là-dedans un rayon de soleil !

Mais le marché va s'ouvrir ! – Tous les chemins de fer de Londres viennent de lâcher sur Billingsgate leurs voitures géantes, portant des viviers dans leurs caissons.

Combien en arrive-t-il de ces camions, de ces *vans* ! Et, pour recevoir leur chargement, combien de haquets, de tapeculs !

Les poissons qui sont encore vivants dans les baquets peuvent croire qu'ils n'ont pas quitté la mer, et que c'est le flot tordu par la tempête qui les jette contre les rochers – non, c'est le chariot du *railway* qui bondit, en allumant des éclairs sur le pavé.

Quelques-uns de ces poissons, colosses de la tribu, mesurent neuf pieds de long. Il faut trois ou quatre hommes pour traîner un esturgeon royal. Tel saumon, dans sa caisse en forme de bière, pèse autant qu'un enfant de deux ans dans son cercueil. Il y a des *skates* qu'on peut à peine sortir des charrettes où elles s'étalaient à plat ventre. Leur queue, bout de cordage savonné, échappe aux mains des porteurs. Il faut les aveugler pour les soulever : on leur enfonce les doigts dans les deux yeux. – Ohé !... oh ! – et l'on parvient à les placer sur le *tray*, d'où elles veulent toujours glisser.

[...]

Toute cette richesse de tons, cette fraîcheur, la vie intense du marché contrastent avec le teint blême, le regard sec, et l'air mort des marchands. Oui, ils ont l'air mort dans ce tumulte... Leur orgueil même est éteint. On ne distingue pas celui qui a pêché un million dans l'eau trouble où les *whitebaits* frétillent de celui qui n'a ramené encore que du goujon de banque dans son épervier.

Il y a le fracas du *business,* mais pas une parole de perdue, ni un geste inutilement dépensé. Même si une caisse glisse d'une tête, tombe sur une jambe et la brise, le mutilé ne criera pas... A quoi bon ?

Tout les éclabousse, rien ne les détrempe. Leur visage reste sec comme la tête du nageur qui a parié de ne pas mouiller ses cheveux ; et leur front est impénétrable comme le bonnet goudronné de leurs marins.

La Rue à Londres

69

« La rue à Londres n'est pas évidemment un bon sujet, écrit Paul Morand. Jules Vallès a vu la ville précisément sous l'angle où il ne faut pas la regarder. Descendre dans la rue pour juger un pays, c'est une habitude latine. » Pourtant, Vallès a bien compris Londres, et ces endroits peu connus que sont les marchés. Celui de Covent Garden (propriété du duc de Bedford, comme celui de Billingsgate) entourait le théâtre. Les messieurs en smoking et les dames en robe longue parcouraient, à la sortie, des allées de légumes, de fruits et de fleurs. Il a été déplacé à Nine Elms Lane, sur la rive sud de la Tamise et les galeries de Covent Garden sont devenues un endroit à la mode. – Billingsgate, non loin du *Monument*, était le marché aux poissons. – Petticoat Lane, dans Middlesex Street, c'est le marché aux jupons, aux foulards, aux chapeaux, aux vêtements d'occasion : « On a lavé les taches de boue et de sang, gratté la rouille ; on a passé de la poix sur les empeignes et de l'encre sur les coutures ; on a craché là où on avait vomi, donné des coups d'aiguille là où on avait donné des coups de couteau », écrit Vallès. – Smithfield, près de St Bartholomew's Hospital, fut longtemps le marché aux bestiaux et demeure celui de la viande. – Leadenhall Market, construit vers 1880, dans la City, non loin de l'immeuble des Lloyd's, avec son dôme central et son décor aux tonalités rouge et argent, abrite les marchands de volailles, de gibiers et de fromages.

HENRY JAMES

Vivre à Londres

Henry James (1843-1916) naquit à New York et mourut à Londres, où il se rendit dès 1875. Il y vécut jusqu'en 1898, daté à laquelle il s'installa à Rye, dans le Sussex. Il fréquenta aussi les milieux littéraires parisiens et fit de nombreux séjours en Italie, à Rome, à Florence, à Venise qui fut le décor de plusieurs de ses romans ou nouvelles. Auteur prolifique – c'est surtout dans ses Carnets *qu'il a livré ses impressions de Londres – il fut aussi l'un des premiers grands écrivains européens.*

Londres : je m'y suis passionnément attaché. On y jette l'ancre pour la vie. Me voici assis à griffonner dans ma chambre d'hôtel de Boston – sur une table à dessus de marbre ! –, conscient d'un frénétique mal du pays, une nostalgie qui me fait rêver au jour où je reverrai les blanches falaises de la vieille Angleterre émergeant de leurs brumes originelles, comme à l'un des jours les plus fastes de ma vie. L'histoire de mes cinq années à Londres – garantie, je suppose, de beaucoup d'années à venir – est trop longue et trop remplie pour que je l'écrive. Je me contenterai donc ici d'un rapide coup d'œil. J'élus domicile au 3 Bolton St., Piccadilly – et y suis resté jusqu'à ce jour – c'est là que j'ai laissé les rares biens que je possède sur terre, dans l'attente de mon retour. Là, j'ai beaucoup vécu, beaucoup senti, beaucoup pensé, beaucoup appris, beaucoup œuvré ; ce petit appartement sordidement meublé devait me devenir sacré. J'arrivai à Londres en parfait étranger et aujourd'hui je n'y connais que trop de monde. *J'y suis absolument comme chez moi.* Une semblable expérience est une éducation – elle trempe le caractère et orne l'esprit. De Londres, il est difficile de parler de façon pertinente ou juste. Ce n'est pas un lieu plaisant ; il n'est pas agréable, ni gai, ni facile, ni à l'abri de tout reproche. Il n'est que magnifique. On pourrait dresser une imposante liste des raisons qui devraient le rendre insupportable. Brouillard, fumée, crasse, obscurité, humidité, distances, laideur, dimensions formidables, horrible pléthore de la société, façon dont cette immensité insensée est fatale à l'aménité, à la commodité, à la conversation, aux bonnes manières – on pourrait épiloguer sur tout cela et bien plus encore. On peut qualifier Londres de sinistre, lourd, stupide, morne, inhumain, vulgaire au fond du cœur et fatigant par sa forme. J'ai parfois ressenti ces choses avec tant de force que j'ai dit : « Ah, Londres, alors, toi aussi, tu es impossible ? » Mais ce sont là des mouvements d'humeur passagers ; et pour qui le prend comme moi, Londres, en somme, offre le mode de vie le plus acceptable. Je le prends en artiste et en célibataire, comme un qui a la passion d'observer, sans autre propos que l'étude de l'existence humaine. C'est la plus vaste agglomération d'existences – la plus complète synthèse du monde. La race humaine y est mieux représentée que partout ailleurs et si vous apprenez à connaître votre Londres, vous avez beaucoup appris. J'ai ressenti tout ceci en cet automne de 1876 et je m'installai tout d'abord à Bolton St. J'avais fort peu d'amis, la saison était obscure et humide ; mais j'étais dans un ravissement profond. Liberté complète et perspective d'un travail fécond. J'avais accoutumé de faire de longues promenades sous la pluie. Je pris possession de Londres – je sentis que c'était l'endroit rêvé. Je pouvais me procurer des livres anglais. Je les lisais, le soir, devant un feu anglais. Je ne saurais dire comment cela arriva, mais peu à peu j'en vins à connaître des gens, à dîner en ville, etc. Je ne fis, je ne pouvais rien faire pour amener cet état de choses, cela s'est fait plutôt tout seul.

Carnets,
traduit de l'anglais par Louise Servicen
© Éditions Denoël, 1954

Vivre à Londres ! Il y faut être jeune, et riche de préférence, car la vie y est chère et trépidante. Henri Thomas écrit : « Chaque aspect de Londres se passe de l'ensemble, au lieu que chaque aspect de Paris évoque plus ou moins tout Paris. » Que d'habitants de Wandsworth ne sont jamais allés à Hampstead, ou de Pimlico à Wapping ! Et, pourtant, dans cette immense cité, il est possible d'être heureux, même sans fréquenter les courses d'Ascot ou les *garden-parties* royales de la *Season*. Longtemps, Londres fut par excellence la ville des contrastes. Mais le temps n'est plus où les chauffeurs de taxis hésitaient, le soir, à vous conduire aux fins fonds de l'East End, au-delà de Commercial Road, vers Poplar et East India Dock Road, où régnaient les Chinois et les fumeries d'opium, avec des mâts de bateaux devinés au bout de ruelles sordides. Un abîme séparait l'East End du West End. Aujourd'hui, les Docklands sont devenus une cité des affaires et de la finance, le lieu des centres de design et des *lofts* de luxe. Londres y a perdu une part de son âme.

73

Le goût de Londres

Le prince Charles y vit « le triomphe de l'opportunisme commercial au détriment des valeurs civiques ». Gageons qu'aucun habitant du West End – de Belgravia ou de Chelsea – tel qu'il s'est à peu près préservé intact depuis le temps d'Henry James, ne consentirait à s'y installer.

PAUL VERLAINE

« Croquis londoniens »

Paul Verlaine (1844-1896) arriva à Londres, accompagné de Rimbaud, le 8 septembre 1872. Ils vécurent Howland Street, Fitzroy Square. Ils y revinrent de mai à juillet 1873, vivant Great College Street, Camden Town et Verlaine donnant des leçons de français. Il y reviendra seul, en mars 1875, London Street, Fitzroy Square, d'où, au bout d'une semaine, il partira pour Stickney, Lincolnshire, puis Bournemouth de septembre 1876 à juillet 1877. D'août à décembre 1879, nouveau séjour à Londres, cette fois-ci avec Lucien Létinois. Verlaine enseigne le français et le dessin à Lymington. En novembre-décembre 1893 enfin, il effectuera une tournée de conférences à Londres, Oxford et Manchester. Dans quelques poèmes et surtout dans ses lettres à Edmond Lepelletier, il évoque son premier séjour londonien, avant de publier Un tour à Londres *en 1894.*

1872. Vu les mannequins de Guy Fawkes ; vu l'intronisation plus que royale du Lord Maire ; du *dor* partout, trompettes, troubades, bannières, huées et vivats.

Je profite de cette lettre pour maudire comme il faut l'abominable *ox tail soup* ! Fi, l'horreur ! Il y a aussi le « coffee plain per cup » ; mélange affreux de chicorée torréfiée et de lait évidemment sorti du tétin du père Mauté ! Most horrible ! Et le gin donc ! De l'anisette extraite des W.-C.

Le poisson est horrible : sole, maquereau, merlan, etc. tout cela ressemble à de la pieuvre, c'est mou, gluant, et coulant. On vous sert avec une sole frite une moitié de citron, grosse comme un cœur de canard ; viande, légumes, fruits, tout ça bon, mais bien surfait. Bières tièdes. Les établissements de consommation anglais proprement dits méritent cette description : « *Au-dehors, c'est gentil, mais au-dedans ça s'encrasse.* » La devanture est en bois couleur d'acajou, mais avec de gros ornements de cuivre. À hauteur d'homme, le vitrage est en verre dépoli, avec des fleurs, oiseaux, etc. comme chez Duval. Vous entrez par une porte terriblement épaisse, retenue entrouverte par une courroie formidable, – et qui (la porte) vous froisse les fesses après avoir le plus souvent éraflé votre chapeau. Tout petit, l'intérieur : au comptoir d'acajou, une tablette en zinc, le long duquel, soit debout, soit perchés sur de très hauts tabourets très étroits, boivent, fument et nasillent messieurs bien mis, pauvres hideux, portefaix tout en blanc, cochers bouffis comme nos cochers et hirsutes comme eux. Derrière le comptoir, des garçons en bras de chemise retroussés, ou des jeunes femmes généralement jolies, toutes ébouriffées, élégamment mises avec mauvais goût, et qu'on pelote de la main, de la canne ou du parapluie, avec de gros rires, et apparemment de gros mots, qui sont loin de les effaroucher. C'était hier samedi, c'est le lundi d'ici. Que de pochards ! – Hier soir, à Leicester Square, une troupe de musiciens allemands faisait son vacarme devant les cafés, quand tout à coup un Anglais, ivre horriblement, s'empare du pupitre d'un des pauvres diables, et lui tape, au milieu de l'indifférence générale, à coups redoublés sur la tête, jusqu'à ce que le malheureux tombât. Arrestation, d'ailleurs.

J'oubliais de dire que les *wine-rooms, alsops bars* et autres mastroquets indigènes, grâce à l'acajou de leurs entablements, comptoirs et buffets, et à leurs panneaux, volets, etc. peints en vert sombre, ne sont point d'un aspect vilain, et font songer, quand on cligne de l'œil, à des fonds de Delacroix. – Aujourd'hui dimanche : *aoh! very dull!* Tout fermé. Nul commerce. Les boîtes aux lettres fermées aussi. Pas de décrotteurs. Les endroits où l'on mange, ouverts juste le temps de manger, soumis à de fréquentes visites, à l'effet de savoir si l'on boit du superflu !

Edmond Lepelletier,
Paul Verlaine
© Mercure de France, 1923

Mallarmé vécut à Londres en 1862, en compagnie de Marie Gheerardt, qui allait devenir sa femme. Ils se marièrent au Brompton Oratory, non loin de chez Harrod's : « Revoici le brouillard. Il est si beau, si gris, si jaune… » Dix ans plus tard, Verlaine y retrouva des amis parisiens, que leur adhésion à la Commune avait exilés, dont Eugène Vermersch, condamné à mort après la « semaine sanglante » et qui mourut, en 1878, dans un asile londonien.

Les dimanches anglais ont longtemps été célèbres pour leur tristesse et leur monotonie. Tout a changé au cours des dernières décennies du XXe siècle. Le dimanche matin, les parcs sont le domaine des promeneurs, de leurs chiens et des coureurs à pied. L'après-midi, ils sont envahis, à la belle saison, par tout un peuple couché sur l'herbe (tout est permis, à condition qu'il n'y ait pas de mouvements équivoques) ou affalé sur des chaises longues, tandis que, sous le kiosque à musique, un orchestre joue les ouvertures des opérettes de Gilbert et Sullivan (*Mikado* ou *H.S.M. Pinafore*), une fantaisie sur des airs de *Carmen* ou quelque polka de Johann Strauss. Depuis 1989, les horaires des pubs ont été modifiés. On n'attend plus, sur le trottoir, l'heure d'ouverture et on ne commande plus, avant que la cloche signale l'heure de la fermeture, plusieurs consommations. Beaucoup plus qu'à Paris, les magasins sont ouverts le dimanche ainsi que les boutiques à la mode, comme la librairie Hatchard's, dans Piccadilly, par exemple, et tous les autobus circulent. Dans les quartiers, particulièrement à Kensington et à Earl's Court, qu'on surnomme *Kangaroo Alley* à cause du nombre d'Australiens qui s'y installèrent, d'innombrables petites épiceries, le plus souvent tenues par des Pakistanais ou des Antillais, restent ouvertes jusqu'après minuit : on y trouve du lait, des alcools, des jus de fruits, des conserves, des légumes et des cigarettes.

GEORGE GISSING

Souvenirs, souvenirs

*George Gissing (1857-1903) mena tout d'abord une exis-
tence vagabonde en Amérique, en Allemagne, puis en Italie et
en Grèce avant de s'installer dans les Pyrénées pour raisons
de santé : il mourut à Saint-Jean-de-Luz. Il écrivit des romans
de tendance naturaliste, mais c'est dans les* Carnets d'Henry
Ryecroft *(1898) qu'il évoque ses souvenirs londoniens.*

Un jour, j'irai revisiter à Londres tous les endroits où
j'ai logé au temps de ma pauvreté extrême. Voici à peu
près un quart de siècle que je ne les ai vus. Naguère
encore, si l'on m'avait demandé ce que je pensais de ces
souvenirs, j'aurais dit qu'il y avait certains noms de
rues, certaines images mentales du Londres obscur dont
l'évocation me déprimait immanquablement ; mais, à
vrai dire, il y a bien longtemps que ce rappel des
moments pénibles et sordides a cessé d'engendrer une
amertume quelconque. Aujourd'hui, tout en reconnais-
sant la misère par rapport à une vie normale, je trouve
beaucoup plus intéressant et agréable de me pencher sur
cette partie de mon existence que sur des périodes pos-
térieures où je vivais dans un cadre décent et mangeais
à ma faim. Oui, il faudra que j'aille passer un jour ou
deux à Londres parmi les chers vieux épouvantails. Certains, je le sais, ont disparu. Je revois la ruelle sinueuse
par où j'allais d'Oxford Street au bas de Tottenham

Court Road, à Leicester Square, et quelque part dans ce labyrinthe (où j'imagine toujours des becs de gaz dans le brouillard) se trouvait une boutique avec des pâtés et des puddings à la vitrine, tenus au chaud par de la vapeur sortant d'une plaque de métal perforé. Que de fois je m'y suis arrêté, rageant de faim, ne pouvant pas même acheter pour un penny de nourriture ! La boutique et la rue ont depuis longtemps cessé. Est-il quelqu'un qui se les rappelle avec autant d'émotion que moi ? Mais je crois que la plupart de mes lieux chers existent encore : marcher à nouveau sur ces trottoirs, regarder ces portes crasseuses et ces fenêtres borgnes m'affecterait étrangement.

Je revois cette ruelle perdue à l'ouest de Tottenham Court Road où, après avoir habité une chambre au dernier étage sur cour, je dus me transférer au sous-sol, côté rue : il y avait une différence, si j'ai bonne mémoire, de six pence par semaine et six pence, à cette époque, méritaient considération – dame, cela représentait deux repas. (Une fois je *trouvai* six pence dans la rue, et l'exultation du moment est encore vive en moi.) Le sous-sol était dallé ; le mobilier comprenait une table, une chaise, un lavabo et un lit ; la fenêtre, qui n'avait bien sûr jamais été nettoyée depuis qu'elle était posée, était éclairée par une grille plate donnant sur la ruelle. Là j'ai vécu ; là j'ai *écrit*. Oui, du « travail littéraire » s'est fait à cette table immonde de bois blanc, sur laquelle, à ce propos, se trouvaient mon Homère, mon Shakespeare, et les quelques autres livres qu'alors je possédais. La nuit, étant couché, j'entendais le pas lourd et régulier d'un détachement d'agents de police qui empruntaient la ruelle pour aller relever la garde ; leur pesante démarche résonnait parfois sur la grille située au-dessus de ma fenêtre.

Les Carnets d'Henry Ryecroft,
traduit de l'anglais par Pierre Coustillas
© Éditions Flammarion, 1966

Paternoster Row, le long de St Paul's Churchyard, fut, pendant des siècles, le paradis des bouquinistes et des amateurs de livres, jusqu'au bombardement du 29 décembre 1940, qui détruisit la rue tout entière, près de six millions de volumes, et qui ravagea une grande partie de la City. La cathédrale échappa par miracle à l'incendie. – Aujourd'hui, les librairies sont surtout concentrées dans Charing Cross Road, mais à la vitrine de plusieurs d'entre elles, des pétitions sont collées réclamant qu'elles soient protégées des ambitions immobilières et spéculatives et exigeant leur survie. Dans Cecil Court, minuscule rue piétonne entre Charing Cross Road et St Martin's Lane, près des théâtres et des marchands de hamburgers, subsistent encore quelques librairies – le plus souvent de seconde main – spécialisées dans les livres de voyages ou dans les ouvrages consacrés au cinéma, à la musique et à la danse. – Les petites librairies de King's Road, à Chelsea, ont disparu et il faut aller à Hampstead pour flâner encore entre des étagères surchargées de volumes de toute sorte. Bien sûr, demeurent quelques grandes librairies spécialisées autour du British Museum et quelques librairies de bibliophilie. Mais l'amateur de livres finit toujours – ou presque – par trouver son bonheur.

LOGAN PEARSALL SMITH

« Trivia »

Logan Pearsall Smith (1865-1946), beau-frère de Bertrand Russell et de Bernard Berenson, fut un écrivain discret, que Valery Larbaud fit découvrir aux lecteurs français et qui eut une influence déterminante sur Cyril Connolly. Il est l'auteur de Trivia *et de* Miroitements, *où se mêlent aphorismes et poèmes en prose.*

LE PRINTEMPS À LONDRES

Londres prenait, le dernier hiver, l'aspect d'une ville souterraine, son ciel bas semblait un toit de cave, et la lumière fumeuse de ses jours rappelait celle que des livres prêtent à des contrées enfouies loin sous la terre.

Et pourtant, la vraie lumière du soleil y brillait quelquefois ; des nuages blancs passaient dans le ciel bleu ; la multitude interminable des toits était baignée d'argent par la lune ou se vêtait du manteau d'une neige nouvelle. Et l'arrivée du Printemps à Londres fut pour moi pareille à la descente de la vierge déesse aux Royaumes de la Mort, où des fleurs roses d'amandier voltigeaient autour d'elle dans les ténèbres, et où sa venue suscitait, parmi le peuple des ombres, un frémissement et un désir confus des prés verts et de la vie des bergers. Jamais il n'y eut rien de plus frais et de plus virginal dans les bois ou les vergers, que la clarté du jeune feuillage de mai qui nimbait de vert tendre tous les arbres enfumés de Londres.

L'ORGUE DE LA VIE

Presque toujours à Londres, par-dessus le vacarme innombrable de la ville ou le bruit qui se glisse à travers murs et fenêtres, perce la banale mélancolie de la musique des rues ; une musique qui sonne comme la vraie voix du cœur humain, chantant les joies perdues, les regrets et les vies sans amour des gens qui noircissent les trottoirs ou que cahotent les omnibus.

« Parle-moi doucement », implore l'orgue de Barbarie ; « Je suis seul ici-bas ! » lance-t-il dans la foule ; « Tu as brisé tes serments », pleure-t-il dans les cours sordides, et « Frêle est ta renommée ». Et par les chauds après-midi d'été, l'Appel au Courage devant le Souvenir, ou la Paix de l'Oubli, montent avec une odeur de peinture et d'asphalte – faible et triste –, à travers les fenêtres ouvertes des bureaux.

Trivia,
traduit de l'anglais par Philippe Neel
© Éditions Grasset, 1921

Mis à part les tableaux, gravures et caricatures de William Hogarth, les montagnes et cascades mélodramatiques de John Martin, qui doivent à Piranèse et à Blake, et les personnages tourmentés de Francis Bacon, la peinture anglaise paraît, dans l'ensemble, lumineuse et intimiste. Que l'on songe aux aquarelles de Bonington, aux paysages de Constable, aux portraits de Gainsborough ou de sir Joshua Reynolds, aux « symphonies » de

Whistler, même aux toiles de Turner où le soleil, la pluie, la neige et la vapeur s'entremêlent en d'étranges tourbillons, qui font souvent penser à des confitures de Fortnum and Mason. L'art anglais n'est jamais agressif. La musique élisabéthaine, celle d'Henry Purcell, voire celle de Benjamin Britten, demeure de bon goût. Elle est réservée, mesurée, jamais grandiloquente, à l'exception, peut-être, de celle d'Edward Elgar ou de Frederick Delius. En quel autre pays, imaginerait-on le festival de Glyndebourne ? Les Beatles sont plus « convenables » que leurs adeptes d'outre-Atlantique. L'Angleterre est le pays de la modération, peut-être due à son climat : porcelaines de Wedgwood, *chintz*, aquarelles de Kate Greenaway, jardins où le pissenlit a tout autant le droit de vivre que la rose. Aucune catastrophe, fût-ce le Grand Incendie ou le Blitz, n'est parvenue à *réduire* le sens du *comfort*.

Garden-party

John Galsworthy (1867-1933), après avoir couru le monde d'Amérique en Russie et d'Australie en Afrique du Sud, publia, à partir de 1906, son roman-fleuve La Saga des Forsyte, *fresque qui n'épargne guère les institutions britanniques les plus strictes et où Londres est omniprésente, par petites touches impressionnistes, qui lui valut le prix Nobel en 1932.*

Cet été-là, l'extravagance était à la mode ; la terre même était extravagante, les châtaigniers plus fleuris que jamais, et les fleurs noyées de plus de parfums ; les roses s'épanouissaient dans tous les jardins et les nuits avaient à peine assez d'espace pour les essaims des étoiles ; chaque jour et tout le long du jour le soleil en grande armure balançait au-dessus du parc son bouclier d'airain, et les gens faisaient des choses bizarres, déjeunaient et dînaient en plein air. Jamais on n'avait vu de tels flots de fiacres et de voitures de maîtres s'écouler sur les ponts de la Tamise luisante, transportant par milliers toute la haute bourgeoisie de Londres vers les splendeurs verdoyantes de Bushey, Richmond, Kew ou Hampton Court.

Cet été-là, il n'y eut guère de familles, parmi celles qui comptent dans la caste à équipages, qui ne fissent une visite aux marronniers de Bushey, ou une promenade parmi les châtaigniers de Richmond Park. Roulant sans cahots, dans le nuage de poussière qu'ils soulevaient, ces gens s'émerveillaient correctement des têtes surmontées de bois que les grands et lents chevreuils faisaient surgir d'une forêt de fougères, forêt qui promettait aux amants d'automne un abri comme on n'en avait jamais vu. Et de temps en temps, quand la lascive odeur des châtaigniers en fleur et des fougères passait en une bouffée trop forte, l'on se disait : « Ma chère ! quel parfum ! »

Et les fleurs de tilleul, cette année-là, eurent presque la couleur du miel. Aux angles des squares de Londres, elles répandaient, vers la fin du jour, un parfum plus doux que le suc aspiré par les abeilles, parfum qui éveillait des désirs sans nom dans le cœur des Forsyte et de leurs pairs quand, après dîner, ils venaient prendre le frais dans l'enceinte de ces jardins dont seuls ils avaient les clefs.

Cette nostalgie les faisait s'attarder parmi les formes indistinctes des parterres, dans la lumière défaillante, les faisait tourner autour des gazons et tourner encore, comme si l'amour les attendait, après que la dernière lueur se serait éteinte sous les ramures.

La Dynastie des Forsyte (tome I : *L'Homme de biens*),
traduit de l'anglais par Camille Mayran
© Éditions Calmann-Lévy, 1970

L'Entente cordiale préparée par Guizot (traducteur de Shakespeare et auteur d'une *Histoire de la Révolution d'Angleterre*) sous la monarchie de Juillet, fut signée en avril 1904, grâce aux efforts de Paul Cambon, ambassadeur à Londres de 1898 à 1920. – En est-ce une conséquence ? Toujours est-il qu'il y eut alors, en France, autour d'écrivains comme Gide, Claudel ou Larbaud un véritable engouement pour la littérature anglaise, et notamment pour Thomas Hardy, George Meredith, G.K. Chesterton, sans parler de Thomas Carlyle, de Joseph Conrad ou d'Arnold Bennett. L'œuvre de ces romanciers n'eût pas été imaginable un demi-siècle plus tôt. L'Angleterre se libérait peu à peu des carcans victoriens : première école d'infirmières ouverte en 1860 par Florence Nightingale, enseignement primaire obligatoire gratuit en 1891, mouvement des suffragettes d'Emmeline Pankhurst, naissance du Parti travailliste en 1906. Comme l'écrit André Maurois dans son *Histoire d'Angleterre* : « Les Victoriens de 1850 avaient joué au croquet, tiré à l'arc ; ceux de 1900 jouaient au tennis, au golf [...] L'automobile naissait [...] En 1909, Blériot allait traverser la Manche sur un appareil volant. » Édouard VII avait beaucoup voyagé et connaissait l'Europe. À Londres on jouait les pièces de G.B. Shaw et d'Oscar Wilde, dont le procès ébranla l'Angleterre, et les opérettes de Gilbert et Sullivan. Charles Dickens n'aurait pu écrire ceci : « Aux cigares qu'ils fument, aux musiciens qu'ils aiment, on reconnaît les hommes et de quoi leur âme est faite » ; ni les premières lignes du *Portrait de Dorian Gray* : « La riche senteur des roses emplissait l'atelier, et lorsque la brise d'été agitait les arbres du jardin, les lourds effluves du lilas, ou la fragrance plus subtile de l'épine rose, pénétraient par la porte ouverte. »

GILBERT KEITH CHESTERTON

Batailles de rues

Gilbert Keith Chesterton (1874-1936) fut un journaliste recherché, ami d'Henry James et de Winston Churchill. Polémiste, chroniqueur radiophonique, critique littéraire, il publia son premier roman, Le Napoléon de Notting Hill, *en 1904; puis, virent le jour, à partir de 1911, les volumes successifs des* Histoires du Père Brown, *véritable série policière. Il se convertit définitivement au catholicisme en 1922. Auteur d'ouvrages à la limite du fantastique et de l'humour, il fut certainement le plus puissant tempérament littéraire de l'Angleterre de son temps.*

Pour la plupart d'entre vous, j'en suis sûr, c'est bien inutilement que j'insisterais longuement sur l'origine sublime de ces légendes : les seuls noms de vos bourgs les attestent. Tant que Hammersmith s'appellera Hammersmith, ses habitants vivront dans l'ombre de ce héros leur ancêtre, du grand Forgeron qui mena la démocratie de Broadway lutter contre les cavaliers de Kensington, jusqu'à ce qu'il ait pu les pousser devant lui et les battre à l'endroit qui, en mémoire du plus beau sang que l'aristocratie vaincue y répandit, porte encore le nom de Kensington Gore. Les hommes de Hammersmith n'ont pas oublié que le nom même de Kensington, c'est leur héros qui le donna. Lors du grand banquet de réconciliation qui fut organisé après la guerre, alors que les fiers aristocrates refusaient d'entonner les chants des hommes de Broadway (qui sont restés aujourd'hui encore d'un naturel rude et populaire), le grand chef républicain, avec son rude humour, prononça les paroles qui sont gravées sur ce monument : « Les petits oiseaux qui savent chanter (*can sing*) et qui ne veulent pas chanter, il faut les forcer à chanter. » En sorte que les chevaliers d'Orient furent depuis ce jour appelés Cansings ou Kensings. Hommes de Kensington ! vous avez prouvé que vous savez chanter, et chanter de puissants chants de guerre ! Après la journée sombre de Kensington Gore, l'histoire n'oubliera pas ces trois chevaliers qui protégèrent votre retraite désordonnée de Hyde Park (ainsi nommé parce que vous vous y cachâtes, *hide*), de ces trois chevaliers, dis-je, dont Knightsbridge tient son nom. L'histoire n'oubliera pas le jour de votre réapparition, lorsque, épurés au feu des calamités, débarrassés de votre corruption oligarchique, vous repoussâtes l'Empire de Hammersmith de mille en mille, quand vous lui fîtes repasser son propre Broadway et que vous lui infligeâtes enfin la défaite définitive après une bataille si longue et si sanglante que les oiseaux de proie lui ont donné leur nom. Avec une ironie amère, on l'a appelée Ravenscourt, la cour des Corbeaux. En m'en tenant à ces deux exemples que j'ai choisis, j'espère que je ne blesse ni le patrimoine de Bayswater ni l'orgueil plus solitaire de Brompton…

Le Napoléon de Notting Hill,
traduit de l'anglais par Jean Florence
© Éditions Gallimard, 1912

L'Angleterre, au XIXe siècle, a connu un renouveau du catholicisme, sous l'impulsion notamment des cardinaux Newman, Manning ou Wiseman, l'auteur de *Fabiola ou l'Église des catacombes*. Mais, au XVIIe siècle, Richard Crashaw ou, au XVIIIe, Alexander Pope, traducteur d'Homère et auteur de *La Boucle dérobée (The Rape of the Lock)*, que Voltaire considérait comme « le meilleur poète d'Angleterre et, en ce moment, du monde entier », affichèrent leur foi. En 1828, le duc de Wellington procéda à l'émancipation politique des catholiques et, en 1850, fut rétablie la hiérarchie catholique. En 1873, au cœur même de la City, les catholiques recouvrirent la possession de l'église Sainte-Etheldreda et, dans les faubourgs industriels, les sœurs de Saint-Vincent-de-Paul firent leur apparition. À la fin du siècle, toute une littérature catholique émergea, autour de poètes comme Coventry Patmore ou Francis Thompson, de romanciers et polémistes comme G.K. Chesterton ou Hilaire Belloc. Quelques décennies plus tard, T.S. Eliot se proclamera « classique en littérature, royaliste en politique et anglo-catholique en religion ».

VALERY LARBAUD

Le joli temps de la Joyeuse Angleterre

*Valery Larbaud (1881-1957) découvrit très tôt l'Angleterre, où il fit de nombreux séjours : en 1908, il s'installa Lawrence Mansions, Chelsea. Il a aimé les petites villes anglaises – Warwick, Wells, Leamington-Spa, Chester, Weston-super-Mare – dont le souvenir parcourt toute son œuvre. Il s'inté-ressa, comme nul autre écrivain français ne l'avait fait, à la littérature anglaise, souvent la moins connue : sir Thomas Wyatt, Robert Herrick, Digby Dolben, Coventry Patmore ou William Ernest Henley. Il traduisit Coleridge et cinq volumes de Samuel Butler, l'auteur d'*Erewhon *(à ne pas confondre avec son homonyme, auteur de *Huidibras), avant de réviser la traduction française de l'*Ulysse *de James Joyce.*

Comme Londres était belle et trépidante de toute la pulsation de la planète, cette saison-là! Vraiment Londres, cet été, vous montait à la tête comme un vin nouveau. Pourtant ce n'était pas la grande cohue de l'année du dernier couronnement ; mais c'était mieux, car bien qu'on se trouvât au cœur du monde et au milieu du rendez-vous des nations, les habitants et les habitués de la ville avaient l'impression de se sentir entre eux. Oh! c'était à ne rien faire que flâner du matin au soir, à se perdre dans les foules, à se gaver de luxe et de plaisir. Et par moments il semblait que la vie matérielle était devenue digne de l'esprit, et pouvait le satisfaire.

C'était aussi l'époque des premiers ragtimes, de « Hitchy Koo » et de la « fureur du nu ». Aux devantures des boutiques luxueuses, dans les journaux illustrés, partout, le regard tombait sur des photographies de baigneuses et de plages jonchées de nudités féminines ; si bien que l'homme que ses occupations ou son plaisir retenaient dans l'atmosphère de bains turcs de la ville s'imaginait les côtes de la Grande-Bretagne telles que durent apparaître aux yeux de Télémaque les rivages de l'île de Calypso : un million de nymphes debout ou couchées sur les grèves ; un million de néréides jouant avec les vagues – la femme et la mer partout en présence, mêlées l'une à l'autre, les chevelures au vent du large et le giclement de l'écume au rire. Et les nuits, les nuits de Londres, quand tout flambait comme du punch sous le ciel de braise. Et ces ragtimes – les premiers : ceux qui sont venus après n'avaient pas leur gaieté sans frein, ni cette sauvage exhortation au plaisir. Le joli temps de la Joyeuse Angleterre semblait revenu ; et c'était la belle fin d'une belle époque.

« Je ne sais plus, dit Reginald Harding à sa femme, je ne sais plus qui a écrit quelque chose comme ceci : "Il n'y a que Londres et Paris ; tout le reste est du paysage". » Il y a du vrai là-dedans, mais pour jouir pleinement de ces deux villes, il faut apprendre à les voir elles aussi comme du paysage ; et pour cela, il n'y a rien de tel que l'absence de toute ambition et l'oisiveté absolue. Il faut n'être rien et ne rien faire. C'est la ligne de conduite que je me suis tracée quand j'avais vingt-cinq ans, et je n'en ai pas changé, et je m'en trouve bien…

Beauté, mon beau souci
© Éditions Gallimard, 1920

« L'incorrigible Chelsea où les artistes font leur petite *vie de Bohême* », écrivait George Gissing. Certes, Thomas Carlyle qui y vécut, Cheyne Row, de 1834 à sa mort en 1881, ne menait pas la « vie de Bohême ». Mais Oscar Wilde habita Tite Street et c'est Carlyle Square qu'eut lieu, en 1922, la première audition de *Façade*, d'Edith Sitwell et William Walton, dans l'atelier d'Edith Sitwell transformé en haut lieu de l'avant-garde artistique. Sœur d'Osbert et de Sacheverell Sitwell, elle était la personnalité la plus fascinante de l'art de l'après-guerre, quelque peu en rivalité avec le groupe de Bloomsbury, constitué par Virginia Woolf, Lytton Strachey, l'économiste John Maynard Keynes, le romancier E.M. Forster et des peintres comme Vanessa Bell ou Duncan Grant. Les mœurs y étaient particulièrement libres. Les hommes se passaient leurs amants, que les femmes épousaient parfois. – Chelsea fut longtemps un village, avec deux grandes rues : Fulham Road, où sont les antiquaires et, surtout, King's Road. Dans les années soixante, ce fut l'un des paradis de la jeunesse et de ses modes. L'air sentait le patchouli. Les garçons portaient des *Doc Marten's boots*, les filles se teignaient les cheveux en vert ou en rouge et les pubs avaient de grands jardins emplis de roses blanches. Puis, Chelsea s'est assagi et est redevenu un calme quartier de petites maisons fleuries de glycines et de clématites.

PIERRE MAC ORLAN

East End

Pierre Mac Orlan (1883-1970) fut un aventurier sans aventures. Romancier, la meilleure part de son œuvre est néanmoins constituée d'une suite de documentaires et de reportages. Grand lecteur de De Quincey, de Stevenson ou de Poe, il a évoqué Londres – ses docks en particulier – dans Sous la lumière froide *et* Images sur la Tamise.

Dans une petite rue propre en briques attristées, vers Tower Bridge Road, au sud de la Tamise, un faible accordéon gémit un fox-trot anglican. Une voix de fillette donne les paroles. Les ouvriers accompagnent les « bus » sur le pont qui vibre comme un tambour. Les docks de Sainte-Catherine ouvrent leur porte sur la rentrée des ouvriers. Des jeunes filles se mêlent à l'air matinal et se fondent dans un léger brouillard qui met une housse sur les choses de la Tamise et la Tamise oscille sous les coups de marteau des chaudronniers.

La voie d'eau livide se perd entre deux rives bordées de fumées infiniment tourmentées ; une barque plate et noire se glisse sur le ruban d'étain, par soubresaut, comme un cancrelat un peu écrasé ; des pompiers-marins, le bonnet plat et rigide bien posé sur la tête, promènent une pompe écarlate, sous les yeux approbateurs d'un gros matelot qui a l'air artificiel.

Une petite jeune fille délicate tousse dans une pinte

d'ale qu'elle vient de sortir d'un « pub » et qu'elle porte
tendrement. Au coin de Sainte-Catherine Way, cette
Elsie vient d'allumer la lampe et le film se déroule,
comme il fut conçu de siècle en siècle par les poètes
comptables de la grande flotte de commerce.

Entre Shadwell et Wapping tremble comme une
crème l'eau des docks de Londres. Aujourd'hui une propreté géométrique et spécieuse remplace les antiques
ruelles, célèbres par d'admirables tueries, comme des
gens de mer savaient, autrefois, en organiser pour se dis-
traire à terre. Ce spectacle était réservé à Shadwell High
Street. Et la récompense se tenait à la portée de la main,
près du Tunnel Pier où se trouvait l'emplacement du
quai des Exécutions. C'est là que le capitaine Kidd fut
pendu publiquement pour faire plaisir à Stevenson et à
Marcel Schwob. Cela se passait en 1701, devant des
gens de mer un peu rouquins et devant des demoiselles
dont le moins qu'on puisse dire fut qu'elles servirent de
modèles à Hogarth quand il grava les Progrès d'une
garce.

Des docks de Londres à Wapping, on aperçoit les Sur-
rey Commercial Docks, soixante-dix hectares d'eau.
Entre les piles de bois, en accrochant ses talons de souliers aux rails, on assiste au débarquement d'un corps
d'armée de moutons congelés qui ressemblent sous leur
djellaba en toile à laver à des tirailleurs marocains. Il y
a un siècle et demi les baleiniers groenlandais chantaient
à cette même place des chansons réalistes sur les
baleines. Plus loin encore, sur la rive Nord de la Tamise,
s'étalent les trois bassins de West India Docks où le
rhum règne en maître dans des caves soigneusement
protégées contre l'incendie. À cet endroit, hanté la nuit

par quelques ivrognes au long cours, surveillés par des filles fantômes qui guettent la minute de l'entôlage, à l'angle d'une rue, la rive forme une sorte de péninsule. C'est l'île aux Chiens : Isle of Dogs dont le nom révèle et garde la présence d'un mystère.

Plus en aval des East India Docks, le Royal Victoria, les Albert Docks et les Tilbury Docks qui abritent les plus grands steamers du monde, achèvent un poème impérialiste d'une richesse si extraordinaire et si dangereuse que l'on cherche instinctivement pour soi-même l'abri d'une pauvreté reconnue par tous les voisins.

La Lanterne sourde
© Éditions Gallimard, 1953

Sans le brouillard (« Londres a ressemblé, ces derniers temps, écrit Kathleen Mansfield à une amie, le 27 décembre 1917, à une bassine pleine de la meilleure des soupes de pois ») nous n'aurions probablement pas eu les *Aventures de Sherlock Holmes,* non plus que certaines pages du *Portrait de Dorian Gray* ou de *L'Étrange histoire du Dr Jekyll et de Mr Hyde,* ni Jack l'Éventreur. C'eût été regrettable. Dickens évoque « tous les forfaits commis sous le couvert des ténèbres dans la vaste enceinte de Londres ». Tacite parlait déjà de la brume sur la Tamise et Henri Heine décrit la pellicule brun olivâtre dont l'humidité et la fumée de charbon recouvraient les rues et les bâtiments. En 1855, Nathaniel Hawthorne écrivait : « Les ténèbres étaient telles que, dans toutes les vitrines, on devait allumer les lampes à gaz ; et les modestes fourneaux à charbon de bois des femmes et des garçons qui faisaient rôtir des châtaignes projetaient alentour de rougeoyantes lueurs brumeuses. » Bernard Oudin note, dans ses *Histoires de Londres* (Perrin, 2003) :

Le goût de Londres

« Parfois la visibilité était si réduite que les autobus roulaient au pas, le receveur marchant devant et guidant le conducteur avec une lanterne. » Le brouillard, le *London particular*, était plus intense et plus épais dans l'East End, toujours plus mal loti, que dans le West End, mais il faisait le bonheur de Claude Monet. La santé des Londoniens s'en ressentait. Le *smog* des années cinquante fit de très nombreuses victimes. Puis, le chauffage au charbon (les *mirus* des chambres d'hôtel dans lesquels il fallait glisser quelques *pence* pour les relancer !) fut, peu à peu, remplacé par le gaz et l'électricité. Mais l'atmosphère de Londres a toujours une bonne odeur de monoxyde de carbone.

PAUL MORAND

« Londres »

Paul Morand (1888-1976) fut, dès 1913, attaché d'ambassade à Londres, dont il connut aussi bien les garden-parties de la haute société que les pubs ; on en trouve de nombreuses évocations dans ses romans et ses nouvelles. Londres *parut en 1933, puis, dans une édition augmentée, en 1962, avec des photographies de Tony Armstrong Jones : « Londres est ma mascotte ; tout ce que j'en ai reçu m'a porté bonheur. »*

PROMENADE MATINALE

De South Kensington, c'est une jolie promenade un matin de mars que de descendre à Hyde Park et à Piccadilly, par Brompton Road, plein de chiens singuliers, de marchands de tulipes et de jolies Anglaises en peaux de panthère, qui vont faire leur marché chez Harrod's. Les fox-terriers attachés à la porte des grands magasins pour dames causent ensemble sur le paillasson d'entrée, surveillés par d'anciens sergents médaillés. Le long du trottoir aux trois marches qui rattrape la pente de la rue, se suivent des magasins d'antiquaires et de vieilles échoppes où personne n'entre jamais. Sous la conduite de palefreniers, les chevaux en sueur rentrent du parc jusqu'au home de M.M. Tattersal, temple hippique, desservi par d'élégants gentlemen qui sentent le fumier

chaud ; sur la paille fraîche, s'alignent les croupes des
chevaux de polo « rapides sur la balle », des hacks, des
chevaux de buggy « garantis non boiteux », des chevaux
de chasse « sains de poumons et des yeux, bons sur tous
terrains ». Chaque dimanche matin, il convient de leur
rendre visite et chaque lundi, après la fin des chasses, il
est facile de se rendre acquéreur, pour peu de guinées,
de quelque authentique descendant de Darly et Godol-
phin, Adam et Ève du *stud-book,* ancêtres, depuis le
dix-huitième siècle, des pur-sang anglais.

Derrière Brompton Road et Knightsbridge s'étend le
quartier de Belgravia, où la Pairie possède, autour
d'Eaton Square, de monotones hôtels crème à colon-
nades de stuc, dus à cette sèche architecture postnapo-
léonienne qu'on retrouve dans toute l'Europe, sauf en
France. Dans des salons très froids sous leurs housses,
ornés de bols en argent hindou et d'un cache-pot creusé
dans un pied d'éléphant, de vieilles dames, fanées déjà
dessous le roi Édouard, mènent une vie simple et reti-
rée, qui paraît modeste jusqu'au lendemain de leur
décès, où le *Times* révèle soudain l'énormité de leurs
revenus. Pour ces personnes ridées, conservées dans la
glace des courants d'air qui glissent sur le parquet sans
tapis et remontent par une petite cheminée ornée d'un
éventail en papier blanc, la seule chaleur, c'est celle de la
théière recouverte de son capuchon ouatiné, près du
porte-assiettes à trois étages de sandwiches. Un vieux
maître d'hôtel en cravate noire les sert, dans leur solitude, comme on sert la messe.

– Stanley... et le fromage ?

Stanley, qui a lu dans le *Morning Post,* que l'heure est
aux économies, répond :

– Votre Ladyship refuse tous les jours le fromage ; je m'étais permis de le supprimer.

– C'est un tort, Stanley ; dès demain vous me ferez le plaisir de rétablir ce service.

Le lendemain au lunch, le maître d'hôtel passe le fromage et, comme chaque jour, depuis trente-cinq ans, la vieille lady répond imperturbablement :

– *No, thank you.*

Londres
© Éditions Plon, 1933

Les Londoniens des beaux quartiers. Rien n'est plus agréable, par un aigre matin de dimanche d'avril *(Oh ! to be in England/Now that April's there,* écrivait Robert Browning), que de se promener par les petites rues de Chelsea ou de Kensington, ou, dans Hyde Park, le long de la Serpentine. On y fait du *jogging,* entre conseillers d'ambassade, on y laisse s'ébattre les chiens. À Holland Park, où les écureuils gris viennent vous manger dans la main et où les paons poussent leur cri inquiet, on joue au tennis. La chemise en laine, à carreaux, le pantalon de velours et les mocassins de daim sont presque de rigueur. Les jeunes *brokers* et *jobbers* de la City lavent leur cabriolet M.G. ou Austin Healey dans les *mews,* ces petites impasses dont les maisons sont fleuries de pétunias, et qui étaient autrefois des écuries, tandis que les jeunes femmes habillent les enfants de culottes courtes ou de robes à fleurs. Vers midi, les hommes iront au pub et les filles prépareront des *pies* à la rhubarbe. L'après-midi devrait être calme, devant la télévision et une dernière flambée, en attendant l'heure du thé. C'est tout le plaisir de travailler dans la City et d'habiter Chelsea Green.

PAUL MORAND

NUITS DE LONDRES

Que de fois, après le théâtre, me suis-je arrêté sur ce Piccadilly Circus pareil à une grande horloge à six aiguilles, me demandant si je rentrerais à pied chez moi… C'est une promenade délicieuse vers deux heures du matin, lorsque les laveurs municipaux à chapeau de toile cirée, bottés de caoutchouc, lavent Londres comme le pont d'un navire, aspergeant les derniers gentlemen en habit. La fontaine, surmontée d'une statue d'Éros, lance ses flèches aux passants… Des filles fardées sortent de l'ombre et heurtent, comme par hasard, les jeunes gens, au coin de Bond Street ; elles sont nombreuses depuis la crise. C'est l'heure où les noctambules n'ont plus d'autre ressource que d'aller coucher aux bains turcs de l'Impérial, ouverts toute la nuit, et d'où les corps, dans leur suaire, émergent à l'aube, comme au Jugement dernier. Des mendiants vendent leur dernière boîte d'allumettes, avant d'aller louer un lit, les culs-de-jatte, qui ont toute la journée dessiné par terre, sur la pierre des trottoirs, des tempêtes ou des batailles au pastel, s'en vont, emportant leurs sous et laissant leurs chefs-d'œuvre ; de belles voitures démarrent devant l'Embassy Club, et lorsque j'arrive près du *cab-shelter* (qui continue à s'appeler ainsi, bien qu'il n'y ait plus de cabs), je suis surpris d'entendre une voix rauque mur-

107

murer en français à mon oreille : « Tu viens, chéri... »
Souvent, à l'aurore, je prenais là, au coin de Hyde Park
Corner, un café fumant et des œufs au bacon. Sur le
banc de bois, je retrouvais des noceurs en habit, des
guards en civil. Ce kiosque à voitures est devenu maintenant très élégant et le Prince de Galles ne dédaigne pas
d'y boire un dernier café, avant de rentrer coucher à son
Palais de Saint-James.

Parfois aussi, à la sortie de *Scott's,* le célèbre restaurant de poisson, je hèle, au coin de Piccadilly, le dernier
cab de Londres. Il a été tellement repeint que ses panneaux sont tout empâtés ; mais il est authentique et sorti
intact des premiers Dickens, les *Sketches by Boz,* ou des
romans policiers de mon enfance comme *The Mystery
of a Hansom cab,* où un gentleman est trouvé mort sur
les coussins. Jeune homme, j'ai appris que pour faire
monter une dame dans un cab, il faut poser le bras
contre la roue pour que sa robe ne se salisse pas ! Le cab
enfonce sans bruit dans le passé ; on n'entend plus que le
grelot sur le cou du cheval ; dans le brouillard du temps
perdu, apparaît le sommet des roues hautes comme des
roues de vélocipède. Quand vous levez la tête, la glace
du plafond renvoie l'image de votre jeunesse, le reflet de
votre plastron d'habit. Si pour parler au cocher vous
frappez du doigt à un volet, par l'ouverture pratiquée
dans le toit, apparaît un bon nez rouge : « *Very good,
Sir* ». Tout vous ravit : le vieux nécessaire, avec ses
brosses et sa glace d'ivoire jauni, les portes refermées à
hauteur de votre poitrine, la pluie qui vous fouette le
visage et qui vient frapper les glaces latérales. C'est un
grand amusement et une grande tristesse que cette dernière excursion dans l'avant-guerre. Sur votre passage,

les jeunes gens rient ou s'arrêtent, étonnés ; les messieurs
âgés vous regardent, attendris, en chuchotant :
– Un Américain...

Londres
© Éditions Plon, 1933

Après 1918, Londres – comme Paris – dansa. Lady
Asquith offre de somptueuses *garden-parties* ; lady de
Grey, lady Cunard donnent le ton de la *season*. Gardé-
nia à la boutonnière – par la suite, chaque Anglais por-
tera un coquelicot, un *poppy*, pour célébrer le
11 novembre –, on déguste des huîtres, au petit matin, en
sortant du bal. À l'aube, Covent Garden, qui est encore
un marché, sent le chou et l'œillet. Dès avant la guerre,
les vorticistes, autour de Wyndham Lewis, d'Henri Gau-
dier-Brzeska, qui sera tué au front, et d'Ezra Pound, pro-
longent cubisme et futurisme. Les hauts lieux à la mode
sont le Café Royal, cher à Wilde, dans Regent's Street et
le restaurant de la « Tour Eiffel ». Ronald Firbank et
Michael Arlen, dont *The green hat (Le Chapeau vert)*
connaît un succès sans précédent, sont la coqueluche de
Londres. Evelyn Waugh, Anthony Powell, Christopher
Isherwood publient leurs premiers livres. Mais Londres
danse sur un volcan. Stephen Spender écrira dans son
Autobiographie : « Tout ce que les Anglais se permettaient
de voir de l'Europe, c'était le festival de Salzbourg,
l'impressionnisme français [Samuel Courtauld, magnat de
l'industrie textile, offre sa collection à l'université de
Londres en 1932], le lac de Genève et, bien sûr, les
musées et les galeries d'art. » Il poursuit, sur un ton plus
pessimiste : « La tragédie des années trente fut l'aveugle-
ment du grand nombre ; la tragédie des années quarante
l'incapacité du petit nombre. »

V.S. PRITCHETT

« Londres aujourd'hui »

V.S. Pritchett (1900-1997) fut l'un de ces esprits libres comme la littérature anglaise nous en propose tant. Critique littéraire sans préjugés – ses études sur Balzac ou Tourgueniev en témoignent – il a laissé également des écrits autobiographiques : Impressions de Londres *(1962) ou* Un taxi attend *(1968).*

Londres n'appartient plus aux « rupins », ni au « gratin », mais à la foule. Si les « rupins » ne se rendent plus à leur club, mais filent vers les *pubs* de Chelsea, ils prennent soin de porter pull-over, pardessus de grosse serge, vêtements trompeurs. C'est la masse qui donne le ton. Les *squares* du centre, jadis silencieux, résonnent chaque soir du moteur des autocars qui déposent des excursionnistes venus de province, par dizaines de milliers. Ils viennent prendre un bain de néon, et Londres draine la vie de toute l'Angleterre. Passé sept heures, une ville comme Manchester est morte. La foule afflue dans les *pubs* et les bars, où la servent des Chypriotes, des Italiens, des Allemands. Elle se presse dans les boîtes de *strip-tease* et les bars de nuit où les filles affirment être infirmières dans la journée ; ce qui est souvent exact. La fameuse kyrielle de prostituées s'est vue chassée des rues, et se rabat sur des petites annonces scotchées à la vitrine des boutiques, proposant des massages, des leçons de danse, des séances de pose; elles font des signes à leur fenêtre. Depuis peu, on les voit s'aventurer de nouveau sous les portes cochères. Le goût populaire tend moins vers l'ostentation criarde et brutale du vieux Londres, que vers le « chichi » édouardien ou Regency. Beaucoup de nouveaux *pubs* « démocratiques », où l'on a supprimé les bars séparés, sont adornés de ferronnerie et verrerie prétentieuses, vitraux, fleurs artificielles, pots à bière factices, papier peint somptueux, guirlandes de lumières colorées.

Grâce au ciel, il existe aussi nombre d'endroits discrets, peinture patinée et acajou, certains avec les magnifiques cloisons de verre gravé de l'époque victorienne, où l'on rencontre encore les vieilles affectations charmantes, où l'on peut trouver refuge auprès d'un aspidistra et où une solide *barmaid* qui vous appelle *love* ou *dear,* gave son chien.

Et, dans le Londres populaire des autobus, des boutiques modestes, des bars, vous êtes toujours *dear* ou *love.* C'est toujours : « *What's yours, Love ?* », « *Where to, dear ?* », « *Here you are, ducks* », que vous soyez homme, femme ou enfant. On baigne dans une aura d'affection. Mais le Londres dur, au regard vif, le Londres aimable et sentimental n'est jamais perdu de vue et, en cas de crise, retrouve instantanément son masque de respectabilité. Je ne connais rien de plus significatif du tempérament Londonien que le changement des visages, le silence choqué, le regard de condamnation morale, *de haut en bas,* qui nous vient quand, en public, il arrive « quelque chose ». Ce « quelque chose » ne doit, sous *aucun* prétexte, arriver dans cette pièce, dans cette rue, dans ce bureau, dans ce bar, dans ce cinéma. Nous voilà figés par la consternation – sauf, bien sûr, si ce « quelque chose » est arrivé à un chien, auquel cas nous nous précipitons tous en même temps, éperdus, et clamons notre indignation à l'univers entier. Jusqu'à ce que quelqu'un profère cette phrase apaisante, cette parole de morale répétée un million de fois par jour sur les trottoirs de Londres, et qui calmera instantanément la panique : « *It's wrong. It's not right. It's all wrong.* » Sauf envers ce qui peut arriver aux chiens, chats, chevaux, perruches et canaris, Londres est la ville la plus paisible du monde.

Impressions de Londres,
traduit de l'anglais par Alain Defossé
© Salvy éditeur, 1996 (d.r.)

À l'automne de 1940, les Allemands entreprirent une destruction systématique de Londres : Buckingham Palace, la cathédrale Saint-Paul, le palais épiscopal de Lambeth, la Tate Gallery, St Clement Dane's, qui deviendra l'église de la Royal Air Force, sont touchés. La nuit du dimanche 29 décembre fut la plus terrible. Soixante incendies se déclarèrent. On crut au retour du Grand Incendie de 1666. Le tiers de la City fut transformé en ruines et en terrains vagues au printemps de 1941 : cent mille bombes y furent lâchées. Le British Museum, Mansion House, résidence du Lord Maire furent atteints, ainsi que seize églises de Wren. Winston Churchill écrit : « Londres ressemblait à un gigantesque animal préhistorique, capable de recevoir sans broncher des coups terribles et qui, mutilé, saignant par mille blessures, persistait cependant à se mouvoir et à vivre. » Les attaques aériennes reprirent impitoyablement au printemps de 1944. Le 13 juin, le premier V1 (il y en eut 2 500) toucha 400 000 maisons.

Le goût de Londres

Les Londoniens se réfugièrent dans le métro. Il y eut 640 alertes. Les morts se comptèrent par milliers. Le Strand, les hôpitaux de Chelsea et de Greenwich, le Parlement, Kensington Palace, le théâtre d'Old Vic furent touchés. Ce fut ensuite le tour des V2, à l'automne de 1944. Le premier atteignit Chiswick et fut entendu jusqu'à Westminster. Il y eut 1 650 000 maisons endommagées. Le dernier V2 tomba le 27 mars 1945 sur Tottenham Court Road. Londres, qui n'avait jamais connu un tel déferlement de violence aveugle et meurtrière, renaquit de ses cendres.

JULIEN GRACQ

Cricket

Julien Gracq, né en 1910, s'il est l'auteur de romans qui l'ont rendu célèbre, comme Le Rivage des Syrtes *ou* Un balcon en forêt, *est aussi un lecteur et un voyageur exemplaires. Qu'il s'agisse d'Amsterdam, de Venise ou de Londres, il sait pénétrer le mystère des villes, leurs plaisirs comme leurs charmes.*

Presque dès mon arrivée, je découvris le cricket et j'attrapai le virus, comme quarante ans plus tard en Amérique celui du base-ball. Au début de l'après-midi, pour les matches de comtés, je descendais de ma colline vers le terrain de *Lords*; quelquefois, pour les Test Matches, je poussais jusqu'à *Kennington Oval*. Je suivais de l'œil pendant des heures, sans m'en lasser, le ballet somnolent des *umpires* en tablier de blanchisseuse et chapeau mou, des silhouettes claires sous la minuscule casquette – plombées par les lourdes jambières tuyautées – qui s'en retournaient l'une après l'autre, marchant vers le pavillon, leur batte sous le bras – *wicket* tombé ou bien *caught in the slips* – avec un détachement inimitable. Au milieu de l'après-midi, la longue pause de cinq heures coupait la garden-party de ces joutes alenties; sur la terrasse du pavillon qui dominait la foule, on voyait les hommes en blanc assis autour de petites tables prendre le thé ensemble comme des yachtmen, sans se

presser, avant de reprendre nonchalamment leurs hos-
tilités flegmatiques et compliquées. Il faisait très chaud
cet été-là, le soleil descendait au bout du terrain dans
une poussière dorée d'éteule ; les joueurs enfin rega-
gnaient le pavillon et la foule s'écoulait aussi paisible-
ment qu'on ferme un square, remettant la suite de ses
émois sans violence au prochain numéro, puisque les
matches généralement duraient trois jours. De temps en
temps, l'œil piquait en éclair, au milieu de ce farniente
estival cerné d'ombrelles, un bref chef-d'œuvre : Don
Bradman du centre de la meute patiente qui guettait son
premier raté depuis des heures, *hitting to the bounda-
ries,* ou la détente à l'horizontale d'un joueur du champ
plongeant pour un arrêt de volée au ras du sol.

Si Paris – malgré l'installation de ses voies sur berge
– presque de bout en bout reste charmé par son fleuve,
bordé de degrés de pierre comme une piscine, ombragé
d'arbres, enguirlandé de lierre, et où semblent conduire
par un fil de plaisir toutes ses rues, comme les allées du
jardin d'été mènent vers la pièce d'eau, la Tamise, fond
d'estuaire marchand, oppose presque partout à l'accès
du promeneur les encombrements, les incommodités qui
défendent l'approche des bassins d'un port de mer. Au
lieu que les images reflétées des berges surplombantes
viennent se rejoindre en son milieu comme dans la
rivière du Domaine d'Arnheim pour faire de la Seine un
miroir urbain intégré, à peine moins décoratif que le
bassin de Neptune, ici c'est le trafic du fleuve, son
brouillard, son charbon, ses fumées, ses caissons et ses
grues, qui semblent mordre sur la ville et la repousser
en arrière de ses rives chinoises, encrassées, barricadées
par le tohu-bohu du négoce. J'ai peu de souvenirs de la

Tamise marchande, la Tamise d'aval, le port hanséa-
tique blafard de Dickens, avec ses poulies sous l'auvent
des pignons aigus, le suint de ses entrepôts fantômes, ses
impasses borgnes murées par le clapotis louche, ses
trappes, ses marches gluantes plongeant dans l'eau
noire. Mes promenades ne me menaient guère de ce
côté-là, celui de Whitechapel le malfamé, Sodome et
Gomorrhe de la respectable Mrs Biggs, ma logeuse.
Mais je me rappelle toujours Richmond, ses teashops,
endormis à l'échouage sur les berges, dont les baies
ouvraient sur une Tamise presque rurale, qui parlait
déjà des fourrés de saules, des gazons et des *punts* oxo-
niens, et j'ai aimé *Kew Gardens*, où l'Angleterre victorienne, comme Hadrien autour de sa villa les vues
illustres de *l'imperium,* a transplanté pour éventer ses
brumes lourdes les hautes voûtes tropicales bruissantes
qui ombragent de bout en bout la nouvelle de Kipling :
« In the Rookh ».

Carnets du grand chemin
© José Corti, 1992

Outre le football, dont le jeu fut réglé en 1863, le rugby,
qui naquit vers 1900 à l'école de Rugby, non loin de
Windsor, le tennis, le golf qui fut répandu vers la fin du
XIXᵉ siècle et les courses de chevaux (Ascot, Epsom), les
sports typiquement britanniques ont longtemps été les
courses de lévriers, contrôlées par le *National Greyhound
Racing Club* et qui se déroulent à Wimbledon, à West
Ham ou à Wembley et la chasse au renard, dont on
trouve les plus beaux récits – et les plus humoristiques –
dans le livre de Robert Smith Surtees, *Jorrock's Jaunts and
Jollities,* publié en 1838 et dont le personnage principal
inspira à Dickens celui de Mr Pickwick. – Le cricket, qui

remonte au Moyen Âge, est peut-être le jeu le plus populaire. Il se joue, à Kennington Oval et sur le Lord's Cricket Ground, à St John's Wood Road. Deux équipes de onze joueurs s'opposent sur un rectangle de pelouse tondue à ras, de 20 mètres de long sur 3 mètres de large, avec, aux deux extrémités, un guichet, le *wicket*, composé de trois piquets de bois verticaux, de 70 centimètres de haut, au sommet desquels sont posées deux petites pièces de bois et que défend le batteur, le *batsman* muni d'une batte de 96 centimètres de long, en bois de saule. Il porte des jambières et des gants de cuir. La balle est recouverte de cuir dur. Si le jeu est simple, ses règles en sont d'une grande complexité. Les arbitres sont les *umpires*, vêtus de blanc. La saison commence la deuxième semaine d'avril et se termine en septembre.

MICHEL DÉON

« Le Flâneur de Londres »

Michel Déon, né en 1919, a vécu au Portugal, en Grèce et, à présent, en Irlande. Par ses romans, situés en Angleterre, en Italie ou au Portugal, il est l'héritier de Valery Larbaud et de Paul Morand. Le Flâneur de Londres *a paru en 1995 :* « Londres résiste aux attaques de l'âge. Il sait si bien se farder. »

Londres est une ville où il faut apprendre à se livrer au hasard. Son anarchie architecturale est pleine de surprises pour le promeneur, et il est probable qu'il en sera ainsi longtemps malgré les grands desseins des urbanistes.

Laissez-vous aller sur le quai de Chelsea, après avoir dépassé le Royal Hospital, découvrez dans le soir qui tombe et délaye des couleurs de pastel sur la Tamise un vrai tableau dont les nuances semblent infinies. C'est ce que De Chirico appelait « le Londres métaphysique ». Ici, tout est charme et douceur : petites maisons rouges ou blanches aux jardins de vieille dame débordant de fleurs, larges baies ouvertes pour le travail d'un artiste, ravissants portiques à colonnes, antiquaires débordant sur le trottoir, du moins quand le temps le permet, galeries de tableaux, libraires d'ancien où l'on peut encore dénicher sous une pile de livres poussiéreux une édition rare du XVIIIᵉ ou du XIXᵉ siècle, restaurants tamisés, cinémas d'avant-garde. Pénétrez un jour de vente chez Christie ou Sotheby, les deux grands rivaux, et vous verrez que Londres est devenu, depuis la guerre, le centre mondial du marché de l'art. Errez la nuit dans Belgrave Square ou Eaton Place, quartier élégant du South West, uniquement composé d'hôtels particuliers passés à la peinture blanche, avec de massives portes vert bronze ou rouge sang, ornées d'une variété infinie de heurtoirs.

Faites-vous inviter dans un club, et peut-être trouverez-vous que rien n'y a changé depuis la partie de whist de Phileas Fogg : serveurs en habit, huissiers en redingote, public exclusivement mâle, sauf dans certains clubs le soir au dîner. Pénétrez dans l'université, derrière le British Museum, et rencontrez toutes les jeunesses du monde. Bedford Square et Russell Square ont les plus jolis balcons de fer forgé de Londres. Égarez-vous dans la foule de Carnaby Street et des rues adjacentes. Cette jeunesse donne le ton à la mode bohème sous le regard étonné de William Shakespeare juché dans une niche à laquelle personne ne prête attention. Des fripiers offrent du neuf et de l'usagé sans que l'on puisse bien faire la différence. Tout est à la fois extravagant et bon marché, à l'image d'une génération qui envoie promener les vieilles conventions, se moque de la durée des choses et attend peu du lendemain.

Le Flâneur de Londres
© Éditions Robert Laffont, 1995

Depuis cinquante ans, Londres a beaucoup changé, mais son âme est intacte, ses charmes aussi. « L'achèvement du tunnel sous la Manche, écrit Michel Déon, est une sérieuse brèche dans une forteresse que ma génération croyait inexpugnable. » Pourtant, la « forteresse » est inébranlable. Il suffit d'y voir flotter l'Union Jack ou l'étendard blanc à croix rouge de saint George. Le palais de Buckingham, Westminster Hall, la Banqueting House dans Whitehall, la Banque d'Angleterre, la gare de St Pancras, les Royal Courts of Justice, les grandes maisons blanches de Belgrave Square, d'Eaton Square ou de Carlton Terrace témoignent de la grandeur d'un passé encore proche. Certains projets aberrants comme celui de transformer Piccadilly Circus en un rectangle entouré d'immeubles de quinze étages, ne connaîtront – il faut l'espérer – jamais de réalisation. Claude Roy écrit : « Les tours et les gratte-ciel ont beau surgir partout, Londres reste encore ce patchwork de bourgs, de *boroughs,* une fédération de villages, avec des dizaines de milliers de petites maisons et de demeures aristocratiques. » Le *Master Atlas of Greater London,* publié par Geographers' A-Z Map Company Ltd dénombre environ 70 000 artères : *streets, roads, avenues, places, terraces, crescents, lanes, squares, groves, closes, mews,* etc.

« Londres »

*Pierre-Jean Rémy, né en 1937, fut, de 1966 à 1971, premier
secrétaire à l'ambassade de France à Londres, où il revint, de
1975 à 1979, comme conseiller culturel. Poète et romancier,
il a publié* Londres, un A.B.C. romanesque et sentimental *en
1994, dans lequel tous ceux de sa génération se retrouvent
avec un plaisir mêlé de nostalgie.*

« HATCHARD'S »

Parlant de Charing Cross Road, on a pu évoquer le
capharnaüm géant qu'est, sur plusieurs étages, la librairie Foyle's : Hatchard's est à Foyle's ce que sont Hédiard
et Fauchon à l'épicier algérien du coin ou au Monoprix
d'à côté.

Un rez-de-chaussée et un sous-sol, trois étages de boi-
series savamment astiquées, des moquettes profondes,
des rayonnages qui ne dépareraient pas un intérieur
anglais style *Vogue Décoration*, Hatchard's est un sym-
bole, non pas de la librairie anglaise, mais du livre britannique. Nulle part, à Londres, davantage que chez
Hatchard's, le livre ne semble être un objet courant,
certes, mais précieux, aussi bien destiné à meubler des
foyers huppés que l'esprit des centaines de clients de la
haute bourgeoisie britannique qui se pressent là pour
acheter le dernier roman de tel romancier à la mode.

Qu'on ne croie pas que je raille : bien au contraire, Hatchard's est une de mes patries. Avec le rayon des livres de Harrod's, c'est le sommet d'une certaine conception de la librairie, aussi bien aux antipodes des supermarchés du livre qu'on trouve en France, que des bonnes vieilles petites librairies de province pour lesquelles nous signons tous encore des pétitions. Chez Hatchard's, les livres ne sont pas destinés à faire penser, encore moins à susciter rages ou indignations; ce sont les objets usuels, nécessaires mais évidents, de tout banquier, diplomate, avocat ou médecin de province, chirurgien des hôpitaux et amateur de notices chronologiques – de leurs épouses et de leurs enfants, des petits-enfants de leurs enfants quand ceux-ci auront atteint leur âge.

Comme on peut s'y attendre, et comme dans toute bonne librairie de Londres, les rayons biographies et voyages sont superbement fournis. Au rayon histoire littéraire, on trouve moins de choses, mais là n'est pas la question. La merveilleuse urbanité des vendeurs de chez Hatchard's n'a probablement d'équivalent que celle des vendeurs de Fortnum and Mason, la porte à côté. Quant aux vitrines de chez Hatchard's, bien souvent consacrées à l'auteur (de préférence la femme auteur) qui viendra là signer son livre le lendemain matin, elles tiennent de l'arrangement floral et de l'album de famille. Hatchard's, sur Piccadilly, c'est le paradis du livre repensé par Hermès ou Vuitton, mais c'est strictement anglais et à usage rigoureusement britannique.

Londres
© Éditions J.-C. Lattès, 1994

PIERRE-JEAN RÉMY

« JERMYN STREET »

Parallèle à Piccadilly, Jermyn Street est, en quelque sorte, l'envers du décor. Jadis, d'Albany à Clarendon House ou Berkeley House, Piccadilly n'était qu'une succession de formidables maisons particulières ou de sublimes appartements pour célibataires. Derrière Piccadilly, Jermyn Street abritait des hôtels, des bains turcs. Les derniers d'entre eux, les Savoy Turkish Baths, ont été détruits en 1976. D'ailleurs, bains turcs, ils n'en avaient plus que le nom. Les hôtels eux-mêmes, le Blake's, le Miller's, le Saint Jame's où descendait Walter Scott, se sont aussi envolés en fumée. Aujourd'hui, Jermyn Street est, nous le savons tous, le paradis du commerce de luxe pour messieurs, londoniens et parisiens, nos amis qui savent apprécier la beauté d'une chemise faite sur mesure, voire de ces chaussures qu'ils commandent une fois pour toutes, et qu'on leur fabriquera ensuite, toute une vie. Loin du temps où les gentlemen's gentlemen, les butlers, c'est-à-dire les maîtres d'hôtel, portaient quinze jours ou un mois avant leurs maîtres les chaussures que ceux-ci avaient achetées, pour mieux les « casser » et les faire à leurs pieds, les chaussures de Foster and Son ont la vertu magique d'être tout de suite à la forme des pieds les plus sensibles.

Nous avons déjà parlé de Bates, évoquant des casquettes fameuses ; mais on citera G-Harvie and Hudson, Turnbull and Asser ou Hilditch and Key, chemisiers entre les chemisiers : que le monde entier s'incline, c'est là, et là seulement que l'on taille sur mesure les chemises qui ne ressemblent à aucune autre au monde. Mon ami V., qui s'y connaît en la matière, vient de Paris une fois l'an renouveler sa panoplie de caleçons assortis aux chemises en question, sur mesure comme elles et brodés eux aussi de ses initiales. Il achète d'ailleurs chaque chemise en six exemplaires chacune et trois cols différents, anglais, anglais et anglais – qu'il met ensuite selon l'humeur des jours et surtout l'occasion. Rencontré un jour aux soldes de Harrod's – loin de Jermyn Street – V. m'expliqua, un peu confus, qu'il s'était égaré…

De même que nous avons évoqué les parfums de Floris, en évoquerons-nous d'autres, plus riches, moins délicats : ce sont ceux qui s'échappent de chez Paxton and Whitfield. Là, parmi des huiles vierges d'Italie, des crackers cuits de la veille et des confitures de collection, on trouve le plus fantastique assortiment de fromages britanniques de Londres, voire du Royaume-Uni. Les fromages français ne sont pas mal non plus, mais à l'égal de telle petite savonnette parfumée à la violette de chez Floris, un bon gros stilton bien fait de Paxton and Whitfield saura saouler un bataillon entier de dîneurs en ville avertis.

Pour le reste, Jermyn Street est assez triste, tellement embouteillée qu'il est recommandé de n'y pas arrêter un taxi, car celui-ci, prisonnier au départ, ne s'en échappera que longtemps après. On y trouve aussi, tout au bout, du côté de Regent Street, des débits de sandwiches anonymes, mais qui, parmi la clientèle de Jermyn Street, oserait s'aventurer jusqu'à cette extrémité-là ? On remontera plutôt du côté de Saint James's Street ou, par une porte de derrière, on s'échappera du côté de Fortnum and Mason, à la recherche du Welsh rarebit qui pourra peut-être apaiser le manque éprouvé au sortir de Paxton and Whitfield.

Londres
© Éditions J.-C. Lattès, 1994

Londres, 2003. Ce qu'on a appelé les *swinging sixties* fut un enchantement. Londres était toute au bonheur de vivre. Elle était d'une incroyable jeunesse et d'un cosmopolitisme effrénés, de Soho à Chelsea. Les Thaïlandais y retrouvaient les Italiens et les Chinois les Hollandais au magasin Biba, tel un paquebot à l'ancre dans High Street Kensington. Jamais les nuits n'y furent aussi belles, d'une couleur bleu lavande, aussi parfumés les troènes au long de la soudaine fraîcheur des squares, aussi rouge le ciel nocturne. Une nouvelle fois, Londres flambait, mais de bonheur. La mode avait envahi Carnaby Street, puis King's Road. Londres s'offrait à qui la désirait. Certes, tout allait bientôt changer. Des animaux antédiluviens se dressaient à l'horizon : Barbican Centre, les gratte-ciel des anciens docks, les centres de loisirs de la rive sud de la Tamise. Mais ils ne détrôneraient pas le « roastbeef de la vieille Angleterre ». Londres retrouverait ses habitudes. Les hommes porteraient de nouveau le *bowler,* le chapeau melon et les femmes leurs robes du soir. Les portiers des clubs ouvriraient de nouveau les portières des voitures. Londres a toujours balancé entre invention et tradition. C'est le secret de son éternité.

«Le goût des villes»

Le goût d'Alexandrie
Le goût d'Amsterdam
Le goût de Barcelone
Le goût de Beyrouth
Le goût de Bruxelles
Le goût de Capri, et autres îles italiennes
Le goût de Cuba
Le goût de Florence
Le goût de Jérusalem
Le goût de Lisbonne
Le goût de Naples
Le goût du Népal
Le goût de Palerme
Le goût de Prague
Le goût de Rio de Janeiro
Le goût de Séville
Le goût de Trieste
Le goût de Venise
Le goût de Vienne

Réalisation Pao : Dominique Guillaumin

Achevé d'imprimer
par Hérissey à Évreux (Eure)
en janvier 2014.
Imprimé en France.

Premier dépôt légal : janvier 2004

Dépôt légal : janvier 2014

N° d'imprimeur : 121767

266913